DU MÊME AUTEUR

aux éditions Casterman

(collection Romans)

Barbak l'étrangleur

Prix Tatoulu 1999

Pauvre Alfonso !

Une moitié de wasicun

Prix Saint-Dié jeunesse 1996

Vieille gueule de papaye

Prix jeunesse d'Eaubonne 1997

Nisrine et Lucifer

Les secrets de Faith Green

Tam-Tam "Je bouquine" 1998
Prix du livre d'Or des jeunes lecteurs de Valenciennes 1999
Prix des lecteurs du collège Pablo-Neruda de Bègles 1999
Prix "Été du livre" jeunesse de Metz 1999
Prix du roman historique de Poitiers 1999
Prix littéraire du collège de Bayeux 1999
Grand Prix des jeunes lecteurs de la PEEP 1999
Prix des incorruptibles 1999
Prix Chronos Suisse 2000
Prix des jeunes lecteurs, Thoigny-sur-Marne, 2000
Prix "Plaisir de lire", Auxerre, 2000
Prix Versele 2000 (catégorie 5 chouettes)
Prix Mange-livres de Carpentras 2000
Prix Auvergne-Sancy 2001

Des crocodiles au paradis

La deuxième naissance de Keita Telli

Ba

Prix "Graine de Lecteurs" de Billère 2001

Trèfle d'or

Les frontières

Teri-Hate-Tua

Les Hermines

L'Esprit des glaces

Circé

Le porteur de pierres

(collection Les albums Duculot)

Les chalets de fer

AVENTURES

JEAN-FRANÇOIS CHABAS

LES SECRETS DE FAITH GREEN

ILLUSTRÉ PAR CHRISTOPHE BLAIN

ROMANS

casterman

Pour Faithy baby, l'infirmière la plus adorable
de tout le Royaume-Uni

1

— MICKEY, viens par là. Il faut qu'on parle sérieusement.

Quand ma mère prend ce ton-là, c'est mauvais signe. J'ai dit, à tout hasard :

— Hé, m'man, j'ai rien fait ! Je te jure !

— Arrête de jurer à tout bout de champ. Ça m'énerve et ça te fait ressembler à un marchand de voitures d'occasion. Je n'ai rien à te reprocher pour une fois. Je veux juste te parler de... Rejoins-moi dans le salon.

J'ai enlevé mes *blades,* mis mes baskets et j'ai suivi ma mère.

— Mickey, tu as douze ans maintenant. Tu es assez grand pour ne pas piquer une crise si je t'annonce une nouvelle désagréable.

Aïe. J'ai attendu la suite.

— Ton arrière-grand-mère va venir ici. Nous allons l'installer dans ta chambre.

— Faith ?
— Oui, Faith. C'est ton seul arrière-grand-parent qui soit encore vivant, non ?
— Et pourquoi dans ma chambre ?
— Parce que c'est la plus grande pièce de l'appartement, et qu'il y a le lit de Jess. Et puis parce que je préfère qu'elle ne soit pas seule pendant la nuit. Au cas où. Tu sais qu'elle n'a jamais quitté le Montana. Ça va lui faire bizarre de se retrouver ici.
— C'est surtout à moi que ça va faire bizarre. Elle a quel âge ?
— Quatre-vingt-huit ans, je crois. Viens m'aider, on va faire le lit de Jess.

Mon père, ma mère et moi vivons à Brooklyn. C'est un quartier de la ville de New York. Nous habitons un minuscule appartement. Mon frère Jess est parti il y a un an pour l'université et il revient pendant les vacances. Mes parents tiennent une épicerie italienne au rez-de-chaussée de notre immeuble: *Coglioni's*. La famille de mon père est originaire de Naples.
Du côté de ma mère, ce sont des Irlandais. On dit que les deux communautés ne s'adorent pas ; je pense que c'était vrai autrefois, mais les choses se calment un peu maintenant. Faith Green est la grand-mère de ma mère. Une femme qui a toujours vécu au milieu

des bois, près de la ville de Blackberry au nord du Montana, un trou perdu collé à la frontière canadienne. C'est à peu près tout ce que je sais d'elle. Je l'ai vue une fois quand j'avais cinq ans ; nous étions allés la voir avec ma mère. Je garde le très vague souvenir d'une grande maison de bois. C'est aussi une des seules fois où je me suis baladé dans la nature. Nous ne sommes pas assez riches pour nous payer des vacances et nous restons toujours à Brooklyn.

Je passe mon temps libre à faire du roller avec les copains. Mes parents travaillent jusqu'à neuf heures le soir et il m'arrive de leur donner un coup de main. Ce n'est pas la vie en rose, mais pas l'enfer non plus. On s'en sort.

Au dîner, j'ai demandé :
— Elle reste combien de temps, Faith ?
Ma mère a posé ses couverts et elle a regardé mon père, l'air embarrassé.
— Ah... Mais je croyais que tu avais compris, Mickey. Elle est là pour toujours.
— Pour toujours ? Qu'est-ce que c'est que ces salades ? Bon sang de bor...
— Tu veux une claque pour t'apprendre à parler comme ça ? s'est emporté mon père.
— Pardon. Ça m'a échappé. Mais qu'est-ce que...
— Grand-mère est quelqu'un de... spécial, a dit ma mère. Elle m'a téléphoné il y a deux jours pour me dire qu'elle venait mourir chez nous. Ce sont ses propres mots : « Allô, ma petite. J'ai décidé de m'installer chez vous pour mourir. J'arrive dans une semaine. À bientôt ! »
Je me suis gratté le crâne.
— Elle est cintrée ?
— Oh, je ne crois pas. Je suis même sûre que non. Mais elle est, de loin, la personne la plus têtue de la famille.
Mon père a soupiré et j'ai su ce qu'il pensait. « Ça promet ! » Quant à moi, j'ai essayé d'imaginer ce qui se passerait si je découvrais un matin le cadavre de mon arrière-grand-mère dans la chambre, ou si, pire

encore, la vieille dame tenait le coup jusqu'à cent ans : elle partagerait ma chambre pendant des années ! Malgré les efforts de ma mère pour entretenir la conversation, mon père et moi avons piqué du nez dans notre assiette. Sans gros effort d'imagination, on aurait pu apercevoir au-dessus de nos têtes des petits nuages noirs de bandes dessinées.

2

Il y a des vieux qui ont l'air de vieux, et c'est tout : on ne peut pas les imaginer autrement, le cerveau n'arrive pas à faire fonctionner la machine à remonter le temps. Il semble qu'ils ont toujours été comme ça.
Et il y en a d'autres qui gardent sur leur visage le souvenir vivace de la jeunesse. Comme si les années n'avaient pas tout à fait réussi à vaincre leur énergie.
Faith Green ressemblait à une jeune fille qu'on aurait déguisée en vieille dame. Lorsque mes parents et moi sommes allés la chercher à la station de car – elle avait fait trois jours de voyage –, je m'attendais à trouver une espèce de débris chevrotant, à peine capable de tenir debout. Elle a sauté du marchepied – je dis bien sauté – et a promené ses yeux gris sur les quelques personnes présentes avant de nous apercevoir. Elle était plus grande que ma mère, son visage était creusé

de rides qui paraissaient dues à la vie au grand air plus qu'à son âge. La première pensée qui m'est venue, c'est qu'elle n'avait pas l'air commode.

Dans la voiture, elle a commencé :
— Ce gars-là n'est pas plus musclé qu'un poulet. Tu as quel âge ? Douze ans ? J'aurais dit dix. Ou neuf.
J'avais déjà envie de lui envoyer un marron. J'ai serré les dents et me suis forcé à sourire. Elle a continué, en s'adressant à mes parents :
— Je vais vous le dire tout de suite, pour qu'il n'y ait pas de malentendu : ne vous attendez pas à un héritage fabuleux. Je n'ai rien mis de côté. Vous ne gagnerez pas un sou à m'héberger. Je peux payer ma nourriture, mais c'est tout.
— Je vous assure... a bredouillé mon père.
— Oui, oui, je préfère que vous ne vous fassiez pas d'illusion, a tranché Faith Green.
Mon père pianotait sur son volant. J'ai failli pouffer, comme on peut le faire à un enterrement, ou devant un prof particulièrement sévère. Le rire nerveux qu'on a dans des situations affreuses. Nous allions héberger un monstre ; un monstre qui n'avait pas du tout l'air mourant.
Elle a été stupéfaite que nous puissions habiter dans un appartement si petit.

L'ensemble n'atteignait pas la taille de sa salle de séjour, nous a-t-elle dit.
— Oui, lui ai-je répondu, perfide, vous étiez sans doute bien mieux chez vous.
Ma mère m'a fusillé du regard et Faith Green a souri, comme si je venais de lui en raconter une bien bonne.
La vieille dame n'avait emporté avec elle qu'une valise ; mon père lui a demandé ce qu'elle avait fait du reste.
— Un ami s'en occupe là-bas. Et il tiendra la maison en état. Oh ! Un poste de télévision, dans la chambre !
Je m'étais battu avec mes parents pour l'obtenir, cette télé. Enfin une chose qui lui faisait plaisir.
— La télévision dans la chambre ! Quelle horreur ! Je n'en veux pas !

C'est quand elle a prononcé cette phrase que j'ai commencé à la détester pour de bon.

Mon arrière-grand-mère se couchait à huit heures le soir pour se réveiller le matin à cinq heures, « au chant du coq » comme elle disait. Il faudrait être très fort pour trouver un coq à Brooklyn, mais la vieille toupie avait une horloge dans le crâne. Sans l'aide d'aucune sonnerie, elle s'asseyait toute raide dans son lit le matin et, comme à cette heure il faisait encore sombre, sa silhouette m'évoquait un vampire dressé dans son cercueil.
À peine debout, elle se précipitait dans la salle de bains pour faire sa toilette et s'habiller puis courait remuer les casseroles. Je n'irai pas jusqu'à dire qu'elle faisait exprès de les entrechoquer, mais, pour le moins, elle n'essayait pas d'être discrète. Je collais mon oreiller sur ma tête, imaginant que mes parents devaient faire de même. Puis j'attendais que la tortionnaire s'en aille faire sa promenade matinale.
Elle n'avait jamais quitté son coin du Montana, mais la ville, au lieu de l'effrayer, l'amusait beaucoup. Elle trottait pendant des kilomètres, ce qui faisait notre affaire puisque cela nous permettait de nous rendormir pendant une heure ou deux avant le départ pour le travail et l'école. Le pire était qu'il ne faisait pas

bon l'empêcher de se coucher tôt, le soir. À partir de huit heures, le moindre craquement dans l'appartement, ou le murmure de la télévision du salon, avec le son baissé jusqu'à en être inaudible, provoquaient des « Chuut ! » indignés. Mon père et moi échangions alors un regard et je me demandais quel était celui, de nous deux, qui avait le plus envie de tuer la vieille dame.

3

J'AI TROUVÉ les quatre cahiers alors que Faith Green était chez nous depuis une quinzaine de jours.
C'était un dimanche ; elle était partie, comme à l'accoutumée, faire sa promenade. Ma mère lui avait dit pourtant que la ville était dangereuse et qu'elle risquait, à toujours traîner dans les rues, de se faire agresser. Pour toute réponse, la vieille avait sorti une pétoire de son sac. Un énorme revolver de western. C'était, nous avait-elle dit, l'arme de son père.
— Ça t'arrête un bison en pleine course ! Qu'ils y viennent !
J'avais été assez déçu, parce que je comptais beaucoup sur ses promenades pour qu'il lui arrive malheur. Ne me jetez pas la pierre. Personne ne peut imaginer ce que c'est que de vivre avec Faith Green.
Ce dimanche, j'étais d'une humeur massacrante. Ma

cauchemardesque voisine de chambre était plus en forme que jamais. « Je viens mourir chez vous ! » Tu parles. Ma mère avait mal compris ; c'était sans doute « Je viens VOUS faire mourir », qu'avait dit cette sale... cette sale...
Mes yeux se sont arrêtés sur sa valise, dont la poignée dépassait du couvre-lit de Jess.
En temps normal, jamais je ne me serais permis une indiscrétion. Mais j'ai jugé que les persécutions dont j'étais l'objet avaient valeur d'excuse et j'ai tiré la valise de sous le lit. Je l'ai ouverte.
Presque tout de suite, j'ai regretté mon geste. L'intérieur de la valise ne ressemblait pas du tout à Faith Green. On aurait dit un de ces faux bagages de petites filles, où elles rangent les colifichets de leurs poupées. Et leurs secrets.
Je me sentais si mal à l'aise, à pénétrer ainsi dans l'intimité de la vieille dame que j'ai failli refermer la valise. Mais tout à coup j'ai pensé à la télé, ma télé. J'ai pensé aux matinées tranquilles, d'avant... Aux soirées pendant lesquelles nous pouvions parler normalement, sans chuchoter comme dans un confessionnal. Alors j'ai haussé les épaules et j'ai commencé à farfouiller. Au milieu de rubans soigneusement roulés, d'ouvrages au point de croix entassés et pliés, il y avait quatre énormes cahiers, de vrais bottins à la

couverture de cuir rouge, fermés par une languette. J'ai pris un des cahiers et je l'ai ouvert à la première page. C'était un journal. L'écriture était nerveuse mais droite ; tout à fait le genre de ma chère arrière-grand-mère.

Sur la première page, j'ai lu :

30 OCTOBRE 54

Alakazam est mort. Il était très vieux et je croyais que j'avais eu le temps de me préparer à sa disparition. J'ai pourtant pleuré toute la matinée. Tom s'est moqué de moi. Je crois que je vais le quitter. Un homme qui ne comprend ce que c'est que de perdre son chien n'est pas un homme. Je lui ai dit que j'aimais Alakazam plus que lui et il a ri à nouveau.

16 NOVEMBRE 54

Tom est parti. Il m'a volé quelques objets, croyant sans doute que je m'en rendrais compte trop tard. Mais je me suis dit que c'était payer peu cher le fait d'en être débarrassée.

Pendant quelque temps, je me passerai d'amant.

J'ai refermé le cahier en entendant la porte de l'appartement qui claquait, je l'ai remis dans la valise et j'ai fourré le bagage sous le lit de Jess puis, dans le mouvement, je me suis précipité entre mes draps.

— Encore couché ? On ne fera rien de bon de toi, mon gars.

— C'est dimanche, Faith.

— Toutes les excuses sont bonnes, pas vrai ?

Elle est allée prendre une veste en laine dans les étagères où elle rangeait ses vêtements.

— Je suis revenue mettre un petit lainage ; ce serait trop bête que je tombe malade, n'est-ce pas ?

Le sourire qu'elle affichait était si proprement sardonique que j'ai cru, à cet instant précis, qu'elle lisait dans mon esprit. Pourvu qu'elle ne devinât pas que j'avais violé le secret de son cahier...

Elle m'a laissé. J'ai attendu un moment puis suis allé reprendre ma lecture. Elle se passerait d'amants... J'ai essayé d'imaginer Faith Green en mangeuse d'hommes et j'ai failli éclater de rire. Mais, comme malgré moi, se sont imposés à mon souvenir les yeux gris de mon arrière-grand-mère et j'ai dû m'avouer qu'ils étaient encore très beaux.

4

3 DÉCEMBRE 54

Trahissant la promesse que je m'étais faite, je me suis procuré un autre chien. C'est un mâtin de Naples. Il paraît qu'il deviendra énorme ; pour l'instant – il n'a que trois semaines – on pourrait le ranger dans une boîte à chaussures.

Ces chiens servaient au combat, autrefois.

L'homme qui m'a vendu Erik (c'est le nom de mon mâtin) est très élégant, et bien fichu aussi. Mais cette promesse-là, je l'ai respectée. Il m'a proposé de prendre un verre avec lui, j'ai refusé. J'éprouve une certaine fierté à n'avoir pas cédé à la gourmandise.

La gourmandise ! Comment imaginer que cette Faith « gourmande » était aussi la vieille dame qui nous empoisonnait la vie ! Depuis combien de temps tenait-elle un journal ? Ce cahier-ci commençait fin octobre 54. J'ai calculé qu'à cette date Faith avait déjà quarante-quatre ans. Peut-être les autres cahiers... Bingo. En prenant au hasard un autre volume de cuir, j'ai lu sur la page de garde:

23 JANVIER 1920

Père vient de m'offrir ces quatre gros cahiers, vraiment dodus, pour mes dix ans. Il me dit que j'ai de quoi ranger toute ma vie future là-dedans. Enfin, je peux commencer mon journal.
Amely a été très jalouse, surtout des couvertures de cuir rouge. Je lui ai dit que son anniversaire à elle tombait dans deux mois et qu'il fallait être patiente.

L'écriture n'était pas celle du journal commencé en 1954. Très appliqués, tout en rond et en déliés, les caractères avaient à coup sûr été tracés à la plume. Une vraie plume, comme dans les films historiques.
J'ai été un peu étourdi lorsque j'ai compris que ces quatre monuments de papier contenaient la vie de Faith depuis l'âge de dix ans. Soixante-dix-huit printemps, soixante-dix-huit hivers...
Reprenant le cahier qui commençait en 54, je l'ai feuilleté pour parvenir aux dernières pages manuscrites.

Les dates étaient très espacées ; mon arrière-grand-mère ne se confiait plus à personne, semblait-il, pas même à son cher journal.

17 AOÛT 98
Je me suis décidée à partir.

26 NOVEMBRE 98
La maison est fermée. J'écris ces lignes assise sur le perron. Il y a du vent, les feuilles volent autour de moi.

28 NOVEMBRE 98
Cette station de cars est insalubre. C'est un scandale. Demain je serai à New York, chez ma petite-fille.

Enfin, j'ai lu les seules lignes qu'elle avait écrites depuis son installation chez nous :

11 DÉCEMBRE 98
Mickey est à l'école, ses parents en bas à l'épicerie. J'ai perdu depuis si longtemps l'habitude de sourire. Je leur mène une vie d'enfer. Il va falloir partir.

Cela datait d'il y a trois jours. J'aurais dû être fou de joie mais, bizarrement, je ne l'ai pas été.
Et si j'ai pris, à ce moment, la décision de lire tout le journal de Faith, ce n'était plus dans l'espoir de

fomenter une vengeance mesquine, mais parce que je voulais la comprendre. Rêveur, je me suis rendu compte que je tenais entre mes mains le dernier cahier de la vie de la très vieille dame. Et il ne restait à celui-ci, sur les six ou sept cents pages que comptait chacun des volumes, qu'une trentaine de feuillets vierges.

Comme toujours, ils s'entraînaient sur le parking derrière le ciné. Ismael, Marcus et Donovan. Mes trois meilleurs potes.

— Tu tires une drôle de tronche, m'a dit Marcus.

— C'est toujours la vioque ? a gloussé Ismael en avançant les dents et en griffant l'air de ses mains crispées. Dis donc, c'est grave. T'as même pas apporté tes *blades* ?

— Bof.

— Vous entendez, les mecs ? On lui parle patins, il dit « bof ». Moi, je pense qu'il faut le débarrasser du monstre.

— Ouais. On attend qu'elle sorte faire sa balade, on la pousse sous un camion, et...

— Pas suffisant, a renchéri Donovan. Si la description de Mickey est exacte, elle abîmera le camion et c'est tout. Le poison, par contre...

J'ai levé la main pour les calmer.

— Écoutez, ça va vous paraître bizarre, mais d'ici quelques jours, j'en saurai beaucoup plus sur elle. Ce n'est peut-être pas ce que j'ai cru au début. Enfin, je veux dire... Bon, laissez tomber. Je vais chercher mes *blades*.

18 JUILLET 1921

Mère pleurait dans la cuisine, ce matin. Elle a refusé de me dire pourquoi mais c'est sûrement grave. Père est rentré plus tôt que d'habitude, quand je revenais juste de l'école ; lui aussi avait l'air triste. J'espère qu'ils vont se décider à me dire ce qui ne va pas.

29 JUILLET 1921

Ça y est. Père m'a expliqué qu'il est ruiné, qu'un employé a volé les fonds de l'entreprise et qu'on n'arrive pas à mettre la main dessus. Il y a aussi des problèmes compliqués avec les assurances, je n'ai pas tout compris. Mais nous allons devoir quitter Chicago. Quand je l'ai dit à Amely, elle a pleuré. Comme moi, elle a toutes ses amies ici. Et en plus, nous devrons nous passer de domestiques. Mère a congédié les deux femmes de chambre, le chauffeur et même la cuisinière.

Chicago ? Des domestiques ? Je croyais que Faith avait toujours vécu dans son trou du Montana, et dans une semi-misère.
Avec un étonnement qui ressemblait un peu à de la honte, j'ai dû admettre que je ne connaissais rien, mais rien du tout de la vie de la famille. Jusqu'à présent, je m'en fichais. Comme si l'existence passée des vieux n'était pas vraiment réelle, et surtout pas du tout intéressante.
Faith, à cet endroit du cahier, avait onze ans. Elle était plus jeune que moi...

16 AOÛT 1921

Je crois que je vais devenir folle. La ville de Blackberry est horrible, minuscule et dégoûtante. Il y a des Indiens qui se promènent dans les rues ! Mère nous avait dit que nous allions déménager pour un joli coin dans la nature, tout au nord du Montana, près de la frontière canadienne, là où Père retrouverait un associé.
L'endroit est sauvage. L'associé de Père est étrange. C'est un géant barbu qui n'a plus de nez.

Il ne parle presque pas. J'ai tout de même appris qu'il s'appelle Henri Legoueux. C'est un nom français. Il nous a installés dans un hôtel infâme. De toute façon, a-t-il dit, il n'y en a pas d'autre à Blackberry.

29 AOÛT 1921

En allant chercher du bois, Amely a été attaquée par un lynx. C'est un véritable miracle, elle est indemne. Elle m'a raconté comment ça s'était passé : elle se penchait pour prendre une grosse branche et elle a entendu un craquement dans son dos. Elle s'est retournée avec la branche dans les mains, elle a vu le lynx qui lui a sauté dessus au même moment et elle lui a donné un coup avec le bout de bois. Il s'est enfui.

Quand nous avons raconté ça à Henri Legoueux, il s'est moqué de nous en disant qu'une gamine de neuf ans ne fait pas fuir un lynx. Mais Amely lui a décrit la bête, avec les pinceaux de poils au bout des oreilles, et tout.

Elle lui a expliqué qu'elle avait vu un lynx dans un livre d'histoire naturelle, à l'école, et qu'il était exactement pareil. Monsieur Legoueux s'est gratté le crâne et il a dit finalement que ma sœur avait eu beaucoup de chance.

Ah, oui. Nous sommes dans une maison au milieu de la forêt, j'avais oublié de le dire. J'écrirai ça quand je serai moins fatiguée.

Amely était la petite sœur de Faith. Est-ce qu'elle vivait encore ? L'ennui, c'est que je ne pouvais poser de questions ni à mon arrière-grand-mère ni à mes parents. Cela aurait trahi ma connaissance du journal. Je devrai me contenter des renseignements que donnait ce dernier.

J'avais toujours peur de me faire surprendre par Faith, et je ne lisais que lorsqu'elle partait pour ses promenades, tôt le matin. Comme elle nous obligeait à nous coucher comme des poules, je n'étais pas trop fatigué. Nous avions renoncé à regarder une télévision muette. De temps à autre, j'interrompais la lecture du premier cahier pour voir si elle avait ajouté quelque chose au dernier. Mais rien. Ce n'est que trois semaines après son installation chez nous qu'un matin j'ai pu lire :

20 DÉCEMBRE 98

Bientôt Noël. Il faut que je m'en aille avant les fêtes. Je ne dois pas les leur gâcher. Je redoute de retourner à ma solitude. La famille compte d'autres membres, mais je serais tout aussi désagréable avec eux. Je suis comme ça avec tout le monde. La vie a été trop dure. Je ne peux plus sourire.

« Je ne peux plus sourire. » Elle l'avait déjà écrit quelque temps auparavant. Que s'était-il passé pour qu'elle en soit arrivée là ? Elle voulait nous quitter dans les jours à venir. Et moi, je n'avais plus envie qu'elle s'en aille.

6

L'ACCIDENT A EU LIEU le 22 décembre ; le jour qu'elle avait choisi, j'en suis convaincu, pour nous annoncer qu'elle retournait dans le Montana. Ma mère l'avait prévenue. Il y avait du verglas dans les rues, le quartier entier jouait un *Holiday on Ice* involontaire. Et bien sûr, la terreur du Montana ne l'avait pas écoutée. À peine venait-elle de sortir que monsieur Funfkartofeln, l'horloger, est venu sonner chez nous.

— La vieille dame est tombée sur le trottoir. Elle ne va pas bien, je crois.

Nous nous sommes précipités. Faith était évanouie, allongée sur le macadam. Madame Funfkartofeln lui soutenait la tête ; son mari, nous dit-elle, était parti téléphoner à l'hôpital pour demander une ambulance.

— Il ne faut pas la bouger, a déclaré mon père qui claquait des dents, en pyjama sur le trottoir.

J'ai glissé et j'ai failli tomber sur mon arrière-grand-mère.
— Je vais chercher une couverture, on ne peut pas la laisser dans le froid comme ça, a dit ma mère.
Je suis remonté avec elle pour m'habiller et descendre à mon père son manteau d'hiver. Ma mère a grommelé, en sortant deux plaids d'un placard :
— Heureusement que les Funfkartofeln se lèvent tôt. Quelle vieille idiote !
Mais je sentais qu'elle était aussi inquiète que moi.

— Quand on a son âge, nous a expliqué le médecin à l'hôpital, ce type de chute est souvent fatal. Il vaut mieux que vous soyez prévenus. Elle a une fracture de la cheville et un traumatisme crânien. Et elle est restée dans le coma plus d'une demi-heure.
— Combien de chances de s'en tirer ? a demandé mon père.
— Une chance sur dix. Je suis navré.
Je ne sais pas ce qui se passait sous les cheveux de mes parents. Se pouvait-il qu'ils fussent soulagés en entendant cette nouvelle ? Faith nous avait tellement pourri la vie depuis son arrivée.

17 SEPTEMBRE 1921

Cher journal, je n'ai pas eu le temps d'écrire jusqu'à maintenant. Cette nouvelle vie est si différente. TOUT est différent. Je vais essayer de dresser une petite liste : Amely et moi devons faire nos lits et aider Mère dans les autres tâches ménagères, parce que nous n'avons plus le moindre domestique. Mère fait aussi la cuisine. Nous ne portons plus les vêtements de Chicago ; nous avons presque tout vendu avant de partir pour le Montana.

Ici, nous avons acheté des effets qui conviennent mieux à la vie dans les bois. La maison que nous a trouvée Henri Legoueux se dresse au milieu d'une clairière, à deux kilomètres de Blackberry. Elle est à moitié faite de pierre, à moitié de bois. Amely et moi dormons dans la même chambre, ce qui donne lieu à de nombreuses disputes.

Père nous conduit à l'école en chariot (il a aussi vendu notre magnifique Ford T « modèle luxe », à Chicago). Le cheval qui nous traîne – c'est bien le mot – jusqu'à Blackberry s'appelle « Barbapoux ». C'est un nom français, je ne sais pas ce que ça veut dire. Il appartenait à Henri Legoueux qui l'a vendu à mon père. Il est très vieux, noir avec des taches blanches. Il dort dans une petite grange collée à la maison et monsieur Legoueux nous a montré comment nous en occuper et l'atteler au chariot.

L'école de Blackberry est un ramassis de pestes et

de voyous. Amely et moi nous sommes déjà battues trois fois et trois fois nous avons été rossées. Les enfants d'ici sont beaucoup plus forts et sauvages qu'à Chicago. Ils se moquent de nous et imitent ce qu'ils appellent notre démarche de poule constipée. Je serre les poings. Nous finirons par leur casser la figure, c'est juste une question d'habitude. Amely est encore plus déterminée que moi. Après tout, elle a bien fait fuir un lynx...

Je ne comprends pas bien ce que nous faisons là. Pourquoi Père a-t-il jeté son dévolu sur un endroit si perdu et si éloigné de Chicago ? Que vient-il chercher ici ? Comment a-t-il rencontré ce monsieur Legoueux ? Trop de questions sans réponses. Quand j'interroge mes parents, ils font un sourire contraint et me disent la même chose : « Nous t'expliquerons un peu plus tard. »

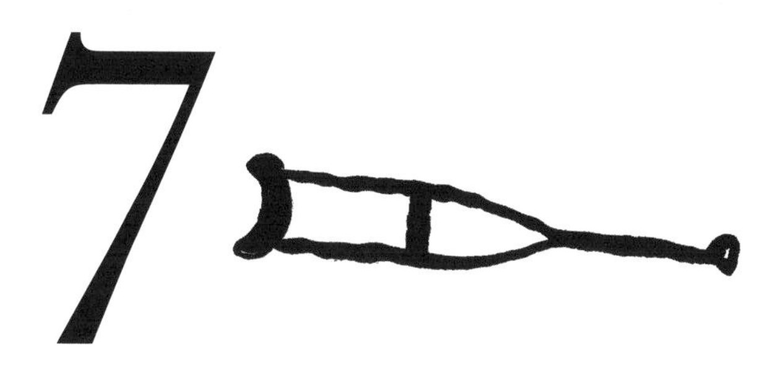

— Je n'ai jamais vu ça. Quand elle est arrivée il y a deux jours, j'en étais presque à chercher un stylo dans ma poche pour signer l'acte de décès. Et aujourd'hui, elle fulmine depuis cinq heures du matin parce que selon elle, le petit déjeuner n'est pas assez copieux à l'hôpital. Je vous demanderais bien de nous en débarrasser dès maintenant, puisqu'elle est plâtrée, mais ce ne serait pas raisonnable. Nous allons tout de même la garder en observation une semaine.

— Vous voulez dire qu'elle est tirée d'affaire, docteur ? a soupiré ma mère.

— Pour ça, oui. Mais c'est le personnel soignant qui souffre, maintenant. Votre mère n'a pas décoléré depuis son réveil.

— Ce n'est pas ma mère, c'est ma grand-mère. Pouvons-nous la voir ?

À ce moment, d'épouvantables imprécations nous

sont parvenues, à travers une porte au fond du couloir du service.

— Un yaourt et deux biscottes ! Non mais vous êtes cinglés ! Vous me prenez pour un canari ! Je veux une nourriture de chrétien, pas une boulette pour remplir une dent creuse !

— Aucun doute, elle va mieux, a dit mon père, lugubre.

— Beaucoup mieux, ai-je renchéri en éclatant de rire.

Une infirmière est sortie de la chambre et s'est jetée sur le médecin qui nous parlait un instant auparavant.

— Dites, docteur, vous ne voudriez pas lui coller une bonne dose de cyanure, à cette foldingue ?

— Euh... je vous présente la famille de madame Green.

Le visage de l'infirmière a soudain pris une teinte pivoine, peu assortie au vert de sa blouse.

11 NOVEMBRE 1921

Le comportement de Père est inexplicable. Il y a trois mois nous vivions à Chicago, Mère et lui étaient très chic, très réservés. Je ne sais pas si c'est la forêt, ou ses étranges fréquentations, mais il n'est plus chic du tout. Il lui arrive souvent de ne pas se raser le matin, et lui qui changeait de chemise tous les jours porte depuis maintenant une semaine une veste de daim à même la peau, comme un trappeur.

Il disparaît parfois toute la journée ; Henri Legoueux vient le chercher au lever du soleil et ils s'en vont, le visage fermé, comme s'ils allaient affronter je ne sais quel danger. Amely et moi ne savons toujours pas ce que nous sommes venus faire ici. Quand nous interrogeons Père, il répond par des grognements; quant à Mère, elle se contente de dire qu'il s'est lancé dans les affaires. C'est plutôt vague. Malgré tout cela, je crois que je suis heureuse.

2 DÉCEMBRE 1921

Père est rentré en riant, bras dessus, bras dessous avec Henri Legoueux.

Ils gloussaient – on aurait dit des poules – et ils se sont laissés tomber sur le plancher du salon.

« Ils sont saouls comme des cochons », a dit Amely.

Maman lui a répondu qu'on ne parlait pas comme ça de son père.

« Vous savez pourquoi je n'ai plus de nez ? a demandé monsieur Legoueux.

— Nous ne tenons pas à le savoir, a répliqué Mère, très pincée.

— C'est parce que le Petit Jésus me l'a volé ! » a braillé le barbu.

Mon père et lui ont failli s'étouffer tellement ils pouffaient. Finalement, ç'a été communicatif, et la maison entière a été secouée par nos rires.

— La vioque est à l'hosto ? Tu dois te sentir mieux, a dit Ismael.

— Arrête de l'appeler « la vioque ». C'est moche.

— Ah, ah ! Je me goure, ou est-ce qu'elle commencerait à te plaire ? Tu ne serais pas devenu un peu maso ?

— Écoute. Faith, elle a vécu des trucs incroyables ; je...

Bien que Marcus, Donovan et Ismael fussent mes amis depuis longtemps, je répugnais à leur parler du journal. Ç'aurait été comme une trahison.

— ... je préfère ne pas parler de ça.

Nous nous sommes décidés à faire la course le long de l'avenue, un long trajet de trottoir goudronné parfaitement lisse ; l'idéal pour les *blades*. Tandis que je tricotais des guiboles, je ne pouvais m'empêcher de penser à Faith. Ce soir, c'était Noël. Mon frère Jess était arrivé dans la matinée, et la défection involontaire de mon arrière-grand-mère lui avait permis de retrouver son lit.

Tout aurait été pour le mieux si je n'avais su qu'une fois rétablie, Faith nous quitterait. Et puis, même si la famille avait décidé d'aller voir la vieille dame à l'hôpital dans la soirée, elle passerait la plus grande partie des fêtes seule dans une chambre sans âme. Elle qui n'avait déjà pas un moral au beau fixe, si on se fiait à son journal...

Tout à mes préoccupations, je n'ai pas aperçu les petites billes d'acier qui s'étaient échappées du roulement du roller de Donovan, juste devant moi. Même si je les avais vues, ç'aurait été trop tard. J'allais beaucoup trop vite... J'ai senti que je dérapais, et j'ai vu le mur qui se rapprochait.

8

JOYEUX NOËL ! On m'a mis dans une chambre, à deux portes de celle de Faith. Fracture de la clavicule. Un bandage savant m'emprisonnait l'épaule et une partie du thorax.

— Quel maladroit ! s'est écriée mon arrière-grand-mère quand je lui ai raconté ma chute.

— Ouais. Mais moi, au moins, j'ai l'excuse d'avoir été sur des patins. Alors que j'en connais d'autres qui se cassent la figure tout seuls...

— Humpf. Je retourne dans ma chambre. Ma cheville me fait mal, a grogné Faith.

— C'est bien, te laisse pas faire par cette vieille sorcière, a dit Jess tandis que la porte claquait dans le dos de la terreur du Montana.

J'étais heureux de revoir mon frère. Il a six ans de plus que moi et étudie à l'université de Providence, à quelques heures de New York. En fait, comme cela arrive souvent chez nous, il était tout à fait nul à l'école mais pratiquait le base-ball en champion. Et la faculté ne l'avait accepté que parce qu'il assurait à lui seul le succès de son équipe lors des championnats interuniversitaires... Un grand frère comme on en rêve.

— Jess ?

— Ouais ?

— Je suis en train de lire le journal intime de Faith.

Il m'a écouté tandis que je lui racontais ce que j'avais lu jusque-là, puis il m'a dit :

— Tu vois, c'est une vieille taupe, mais quand même, je me demande si c'est bien de faire ça. Elle n'a certainement pas envie que les gens mettent leur nez dans sa vie comme tu le fais.

— Je vais te dire un truc très bizarre. Quand elle est arrivée à la maison, je l'ai tout de suite haïe. Mais à fond. Pour un peu, je l'aurais poussée dans les escaliers. Et puis j'ai découvert les cahiers et dès les premières lignes que j'ai lues, j'ai changé d'avis à son sujet. En fait, c'est dingue, je ne sais pas comment le dire... Je crois que maintenant, j'aime beaucoup Faith. Et quand elle est désagréable, je sais que ce n'est pas vraiment elle. C'est comme si elle jouait un rôle. La vraie Faith est enfermée dans son journal.

Jess m'a regardé comme s'il me découvrait.

— Je devrais revenir plus souvent. Tu grandis sans que je m'en aperçoive. On dirait que tu es devenu un vieux sage... Tout à fait Yoda, dans *Le Retour du Jedi*. Il ne te manque plus que les oreilles vertes !
— C'est ça, rigole. S'il te plaît, quand tu repasseras, demain, apporte-moi le cahier du début. Celui où il y a marqué « 1920 » à la première page.
— Je veux bien, mais ne te fais pas prendre par la vieille. Elle t'arracherait les yeux à la petite cuiller.

La soirée de Noël a été très réussie. Mon père avait apporté une caisse d'asti spumante, un vin italien fameux, et nous en avons distribué à tout le service, malades, infirmiers et médecins compris. Ses deux frères et une de ses sœurs étaient venus aussi et à eux quatre ils ont fait régner une atmosphère digne d'un film de Charlot. Quand ils ont commencé à brailler des chants italiens, la main sur le cœur, ça a un peu dégénéré. Et le médecin-chef a mis toute la famille à la porte. La caisse d'asti spumante était vide depuis longtemps. Je suis resté seul avec Faith, dans le hall où nous avions fait nos adieux aux fêtards. En revenant dans le couloir, j'ai vu qu'une larme coulait le long de la joue de la vieille dame.
Sans que j'aie eu le temps de rien dire, elle est allée s'enfermer dans sa chambre. À deux heures du

matin, je me suis levé et j'ai frappé à sa porte. Elle ne m'a pas répondu; je suis entré quand même.
— Faith... Je suis content que vous soyez avec nous à la maison et j'espère que vous allez rester.
Elle ne répondait toujours pas. Sans doute dormait-elle, inutile de la réveiller. Alors que j'allais sortir de sa chambre, sa voix m'est parvenue, comme très lointaine:
— Joyeux Noël, Mickey.

9

19 JANVIER 1922

Il y a eu cette nuit une terrible dispute entre Père et Mère. Elle lui reprochait de mettre nos vies en danger, et il lui répondait qu'il ne pouvait pas nous laisser mourir de faim. Ça a duré longtemps et enfin Mère s'est mise à pleurer et j'ai entendu Père qui la consolait. Il lui disait : « Je n'aurais jamais dû faire une chose pareille. Nous n'en serions pas là. »

Je ne comprends rien à leurs histoires. Mais c'est décidé, je vais les surveiller, même si ce n'est pas très élégant. J'ai douze ans dans quatre jours, je ne suis pas un bébé.

3 FÉVRIER 1922

Un redoux, surprenant en cette saison, a fait fondre presque toute la neige dans le bois. Henri Legoueux passe de plus en plus de temps à la maison. Nous nous sommes habitués au trou qui lui tient lieu de nez.

C'est un homme comme je n'en ai encore jamais rencontré. Il est à la fois très dur et très gentil. Aujourd'hui, pendant le dîner, il nous a appris que sa femme et son fils étaient morts dans l'incendie d'un hôtel, à la Nouvelle-Orléans, il y a tout juste dix ans.
Ce n'est pas le genre à pleurnicher, mais il a fait une curieuse grimace.
Même Mère, qui était la plus réticente d'entre nous à son égard, a été touchée par ce récit. J'ai demandé, tout à coup – je n'ai pas pu m'en empêcher : « Comment avez-vous rencontré mon père ? »
Il y a eu un long silence et puis Mère a dit : « Faith, aide-moi à débarrasser. Monsieur Legoueux, voulez-vous du café ? »

27 FÉVRIER 1922

Un homme est passé à la maison. Amely et moi n'avions pas école et nous étions toutes seules, parce que Mère était partie avec le chariot faire des courses à Blackberry et que Père ne rentre jamais avant le soir. J'ai ouvert la porte et il était là, devant moi. Jamais de ma vie je n'avais vu quelqu'un d'aussi beau. Il n'était pas très grand, avec un visage fin, presque celui d'une fille. Ses cheveux blonds lui tombaient en boucles sur les épaules. Il avait des yeux noisette, si clairs qu'on aurait cru qu'ils projetaient de la lumière.

« Bonjour mademoiselle, a-t-il dit. Je m'appelle Jim Cribb. Est-ce que votre papa est là ? »
Sans bien savoir ce que je faisais, je me suis effacée pour le laisser entrer. Il n'a pas bougé, et a souri.
« Je vois que vos parents ne sont pas là. Savez-vous qu'il est très imprudent d'ouvrir votre porte à des étrangers ? Je vous laisse un message pour votre père. Dites-lui que je suis passé et que je désire le rencontrer, demain, ici, à la même heure. Vous n'oublierez pas, je pense ? Jim Cribb. »

Il est parti, négligeant le chemin, s'enfonçant dans les bois aussi naturellement que l'aurait fait un animal. J'attends avec impatience le retour de Père.

27 FÉVRIER 1922, DANS LA NUIT

Il se passe des choses graves. Père est devenu blanc comme un linge quand je lui ai transmis le message de Jim Cribb. « Tu lui as ouvert, petite idiote ? »

a-t-il crié. Il a levé la main sur moi et j'ai cru qu'il allait me frapper, lui qui ne nous touche jamais. « Nous ne savions pas qu'il ne fallait pas ouvrir, s'est indignée Amely. D'ailleurs, il ne passe jamais personne. Tu nous as toujours dit que la seule chose dangereuse, ici, c'étaient les bêtes sauvages. Et un ours ou un puma, ça ne frappe pas à la porte. »
Père est sorti dans la nuit qui tombait, en nous enfermant à clé, Mère, Amely et moi. Il est revenu une heure plus tard avec Henri Legoueux, alors que Mère nous avait mises au lit. Tous les trois ont chuchoté autour du feu. J'ai entendu plusieurs fois Père et Mère qui répétaient nos prénoms, et monsieur Legoueux qui parlait de « Little Jesus ». Petit Jésus ? Qu'est-ce que c'était que ces bêtises ? Je me suis souvenue, brusquement, de ce qu'il avait dit quand il était ivre, il y a un ou deux mois : « Je n'ai plus de nez parce que le Petit Jésus me l'a coupé. » Est-ce que ce monsieur Jim Cribb et Little Jesus ne seraient qu'une seule et même personne ? C'est impossible. Un ange ne coupe pas le nez des gens. Il faut que j'arrête d'écrire ; la lune vient de se cacher derrière un nuage, je ne vois presque plus rien.

Une aide-soignante est entrée dans ma chambre pour m'apporter le déjeuner. J'ai glissé le journal de Faith sous mon oreiller. En entamant de bon cœur mon jambon-purée, je me suis dit que ma petite vie à Brooklyn ne valait pas grand-chose comparée aux aventures extraordinaires de Faith Green.

10

En fin d'après-midi, le monstre du Montana est venu s'asseoir sur mon lit. J'étais très mal à l'aise. C'est une chose de se rapprocher de quelqu'un par l'intermédiaire de son cahier intime, et autre chose de lui taper dans le dos, quand il s'agit d'une personnalité aussi impressionnante que celle de Faith Green. Mais elle était sans doute aussi embarrassée que moi. Je me suis surpris à penser que je donnerais cher pour être comme elle à son âge. C'était bien la première fois que je regardais aussi loin en direction du futur. Pour nous, les adultes de trente ans peuplent déjà une autre planète. Mais alors, quelqu'un de quatre-vingt-huit ans... La différence se compte en années-lumière.

La vieille dame jouait avec la poignée de caoutchouc d'une de ses cannes. Ses pensées ne réussissaient pas à franchir le peu de distance qui séparait son cerveau de sa bouche... Je me taisais toujours.

Elle a fait un effort violent, qui a crispé son visage en un tic inhabituel.
— Tu connais la forêt ?
— Heu... Quoi ?
— La forêt. La forêt, les arbres !
— Vous savez, ici, à Brooklyn, on...
— Vous n'allez jamais dans la nature, tes parents et toi ?
J'ai dû expliquer que nous n'avions pas assez d'argent, mais j'ai passé sous silence le fait que de toute façon, nous n'en avions pas vraiment envie, des petites fleurs et du grand air. Nous étions des enfants de la Grosse Pomme[1].
Faith m'a pourtant deviné.
— Tout est dans la nature, mon garçon. Toutes les réponses. Je parle de la nature sauvage, pas du gazon d'un square. Le jour où tu te seras retrouvé face à un grand cerf ou un grizzly, quand tu auras marché seul pendant des heures au milieu des arbres noirs, à la nuit tombée, avec de la neige jusqu'à la taille, ce jour-là tu te connaîtras un peu mieux.
Avant que j'aie trouvé quoi répondre, elle est sortie de la chambre.

1. *Big Apple :* surnom de la ville de New York.

28 FÉVRIER 1922

Il est midi. Je me suis réveillée à l'aube, mue par un pressentiment ; notre chambre est à l'étage, ainsi que celle des parents. On parlait en bas de l'escalier et j'ai cru que quelqu'un était entré dans la maison. En fait, Mère, Père et monsieur Legoueux discutaient toujours ; ils ne s'étaient pas couchés. J'ai entendu des bruits métalliques et j'ai penché la tête, quitte à me casser la figure, pour voir ce qu'ils faisaient. Dans la pénombre des premières lueurs de l'aube – ils n'avaient pas allumé la lampe à pétrole –, Père et Henri Legoueux vérifiaient les mécanismes de deux fusils à pompe.

Mes yeux étaient accoutumés à l'obscurité, mais je n'ai pu distinguer l'expression de leurs visages. Mère tordait un bout de sa robe entre ses doigts, signe chez elle d'une grande angoisse.
Je suis allée me recoucher. Amely dormait toujours. Mère est venue nous réveiller deux heures plus tard. Elle nous a dit que nous n'irions pas en classe aujourd'hui et qu'il n'était pas question de sortir de la maison. Bien que nous l'ayons pressée de questions, elle a refusé de nous en dire plus. Je ne lui ai pas parlé de ce que j'avais vu. En descendant les escaliers, nous

Le texte s'interrompait d'un coup. Il y avait une tache d'encre après le « nous ». Tout reprenait à la date du 3 mars.

3 MARS 1922

Enfin, je te retrouve, cher journal. Pendant tous ces jours, il m'a été impossible d'écrire. Little Jesus, je veux dire monsieur Cribb, est mort. Ses deux amis aussi. Monsieur Legoueux vit chez nous.
Oh, il faut que je reprenne tout depuis le début. Depuis ce 28 février. Ce jour où mes parents et Henri Legoueux attendaient monsieur Jim Cribb.

Non. C'est trop horrible, trop épouvantable, je ne trouve pas de mots pour décrire ce qui s'est passé. Je ne veux pas le raconter. Heureusement qu'Amely n'a rien vu.

11

Ces hésitations me donnaient envie de sauter des pages, pour comprendre enfin ce qui était arrivé. Mais je me disais que c'était un manque de respect.
Un médecin gras et suant est venu prendre ma tension, me parlant comme à un gosse de cinq ans.
— Alors mon petit bonhomme ? La vie est belle ! Pas d'école !
C'est ça, bibendum. Allez, dégage.
J'allais enfin me replonger dans ma lecture quand Donovan et Ismael sont entrés, tenant un gros paquet. Ils m'ont expliqué que Marcus n'avait pas pu venir mais qu'il avait participé au cadeau. C'était une paire de *blades* « Funroad », les meilleurs du marché. Ça avait dû leur coûter une fortune. Je m'en suis voulu de ne pas les accueillir avec plus de plaisir, mais j'aurais donné mon âme à Belzébuth pour connaître plus

vite la suite des aventures de Faith. Et je savais que je ne pouvais les partager avec personne.
À peine Ismael et Donovan venaient-ils de quitter ma chambre qu'une aide-soignante m'a apporté le repas. Pas possible, c'était une conjuration !
Manquant m'étrangler, j'ai ingurgité les aliments sans discernement, commençant par la crème au caramel et terminant par les radis, et j'ai pu, au bout du compte, reprendre le cahier rouge.

5 MARS 1922

La maison d'Henri Legoueux est fichue. Irréparable. Père ne cesse de lui dire de rester vivre avec nous. Je ne sais pas ce que pense Mère. Elle lui est sans doute reconnaissante de nous avoir sauvé la vie ; mais il faut dire que sans lui notre existence n'aurait pas été menacée.
Amely ne cesse de me poser des questions. Elle sent bien qu'il se passe des choses bizarres. Je prétends que je n'en sais pas plus long qu'elle, mais elle ne me croit pas.

11 MARS 1922

Maintenant que je sais ce que font monsieur Legoueux et mon père, je ne les vois plus de la même manière. Mon Dieu, comme Père est différent de l'image que je m'en faisais ! Il est vrai qu'il n'a plus rien à voir avec le gentleman de Chicago. Mère aussi a changé. Elle s'est durcie ; je la trouve plus belle. L'inquiétude et les difficultés de la vie que nous menons ici ont tendu les traits de son visage. C'est vrai que la police ou d'autres bandits, comme Jim Cribb, peuvent surgir n'importe quand.

15 MARS 1922

Ce n'est qu'aujourd'hui que j'arrive à être seule. Père est au diable avec Henri Legoueux, Amely est allée avec Mère faire des courses à Blackberry. Comme Barbapoux est fiévreux, elles sont parties à pied. Mère emporte dans son sac le gros revolver Remington que Père lui a acheté. Elle a insisté pour que je les accompagne, mais comme je n'en avais pas du tout envie, elle m'a dit de m'enfermer et de n'ouvrir à personne. Ses recommandations sont inutiles, je ne suis pas folle.

Puisque je l'ai promis, cher journal, je vais te raconter ce qui s'est passé.

Le 28 février à midi, pendant que j'étais en train de t'écrire, on a frappé à la porte. Mère est montée dans notre chambre et nous a interdit de descendre. Père a ouvert. J'ai reconnu la voix de Jim Cribb.

« Bonjour, monsieur Green. Legoueux n'est pas avec vous ?

— Non », a répondu Père.
J'ai supposé que monsieur Legoueux s'était caché quelque part dans la maison.
« Puis-je entrer, je voudrais vous parler », a continué Jim Cribb. Mon père, d'une voix ferme, a dit : « Non. Allons discuter ailleurs. On réfléchit mieux en marchant. » Jim Cribb a éclaté de rire, et ils sont partis. Quelques secondes après, j'ai entendu un grincement : celui de la petite fenêtre de la salle de bains. J'ai deviné que c'était là que monsieur Legoueux s'était caché et qu'il sortait par cette ouverture qui donnait sur l'arrière de la maison.
Pourquoi toutes ces ruses ? Je ne savais pas alors à quel point Jim Cribb était dangereux. Mère, Amely et moi

12.

17 MARS 1922

On dirait que le sort s'acharne à ce que je ne raconte pas ce qui s'est passé. Le 15, tandis que j'écrivais, il y a eu un bruit épouvantable juste devant la maison. J'ai été terrorisée, imaginant que des bandits revenaient pour tuer toute la famille. Craintive comme une souris, je suis allée à la fenêtre. Ce n'était qu'un arbre qui s'était abattu dans la clairière. J'étais tellement obnubilée que j'ai pensé que ces fameux bandits imaginaires avaient coupé un arbre pour qu'il tombe sur la maison et qu'ils avaient manqué leur coup. Mais en plissant les yeux, j'ai vu que le tronc de l'arbre était creux, complètement pourri. Il était bien tombé tout seul.

Mère nous a permis de garder deux bougies dans notre chambre, en nous disant d'être prudentes pour ne pas mettre le feu. C'est à la lueur d'une de ces bougies que j'écris. Amely dort. Quand, ce 28 février, j'ai entendu mon père partir avec Jim Cribb puis monsieur Legoueux se glisser à leur suite, j'ai su que je ne pouvais pas rester enfermée comme ça. Mais comment échapper à Mère ? Eh bien, c'est elle qui m'a livré la solution, en nous laissant dans la chambre pour descendre au salon. « Ne bougez pas », a-t-elle dit.

Ses pas résonnaient encore dans l'escalier quand j'ai chuchoté à Amely : « Je sors. » Elle a essayé de m'en dissuader et a même prétendu qu'elle me dénoncerait. Mais je savais qu'elle n'en ferait rien.

J'ai ouvert la fenêtre qui donnait, comme celle de la salle de bains, sur l'arrière de la maison, et je me suis laissée glisser le long de la gouttière en bois que Père et moi avions fixée quelques mois auparavant. Nous avions fait un travail sérieux, elle ne se détacherait pas.

J'ai dû entreprendre un détour compliqué pour ne pas être vue par ma mère, qui regardait sans doute par la fenêtre du salon. Heureusement, mis à part la petite clairière dans laquelle se dresse notre maison, les bois sont très touffus. Il est facile de s'y cacher.

Je n'étais pas rassurée, à cause de tout ce qui se passait et aussi parce que je me souvenais de l'attaque du lynx contre Amely. Depuis cette date, ni elle ni moi ne nous étions risquées seules dans la forêt.

Je n'ai pas eu à chercher longtemps. Jim Cribb et mon père discutaient, à une centaine de mètres de la maison. L'homme à figure d'ange s'appuyait contre un érable ; il jouait à déchiqueter une feuille morte. Mon père se tenait tout droit, les mains enfoncées dans les poches de sa canadienne. Il parlait d'une voix dure que je ne lui connaissais pas :

« Si j'ai bien compris, Legoueux et moi devons vous céder cinquante pour cent de tout ce que la distillerie nous rapportera ? Vous êtes un plaisantin, Cribb.

— Un plaisantin ? a rétorqué l'autre. Demandez au nez de Legoueux si je plaisante. Savez-vous comment je le lui ai arraché ? À la tenaille, il vous l'a peut-être raconté... Eh bien, c'était aussi une question de pourcentage. Tout juste après cela, quelques petits ennuis avec la police m'ont obligé à prendre l'air en Floride, un an ou deux. Et me revoilà. Sur mon territoire. MON territoire, vous comprenez ?

— Ce que je comprends, a dit mon père, c'est qu'au lieu de vous surnommer *Little Jesus* à cause de votre belle gueule, on aurait mieux fait de vous appeler *Little Bastard*. C'est plus proche de la réalité.

— Les insultes me glissent dessus, cher monsieur Green, a ricané Cribb. Je suis dans le métier depuis que j'ai quinze ans ; vous êtes un petit nouveau, ça se voit. Et je vous assure que vous avez affaire à trop forte partie. Voulez-vous que je vous explique ? Je n'ai pas de famille et je me moque de mes complices. Vous, en revanche, avez une femme et deux filles. Elles possèdent chacune un nez, des oreilles, une langue, des doigts... Un sacré travail pour une paire de tenailles bien coupantes !

— Espèce d'ordure ! » a hurlé mon père en sautant sur Jim Cribb.

Ce dernier, tout en esquivant avec habileté les moulinets désordonnés de son adversaire, a poussé un cri. Et deux hommes sont sortis d'un fourré. L'un tenait un gros pistolet automatique, l'autre

une mitraillette. Ils ont visé mon père qui était trop collé à Jim Cribb pour qu'ils puissent tirer sans risquer de toucher leur complice, mais ce diable à figure d'ange a réussi à se dégager et il

J'ai entendu le « ploc, ploc » des cannes anglaises sur le lino du couloir une seconde avant que Faith n'entre dans ma chambre. Elle ne frappait jamais. Je ne sais pas comment j'ai eu le temps de glisser le cahier sous mes draps. En la regardant entrer, ses immenses yeux gris mangeant le reste de son visage comme à l'accoutumée, j'ai ressenti le déplaisir d'être une fois de plus interrompu mais aussi une forme de chaleur, tout à fait inattendue. Je me suis dit, tandis qu'elle s'avançait dans la pièce, que mon arrière-grand-mère était le contraire d'une omelette norvégienne. Elle était froide à l'extérieur, mais brûlante à l'intérieur. J'en étais sûr.

— Alors mon garçon, on s'ennuie ? Moi, je deviens folle dans cette prison. Dès que je peux sortir, je repars dans le Montana.

— Faith ! Vous n'allez pas faire une chose pareille !

Elle a eu l'air très étonné.

— Tu es gentil mon garçon, mais ce n'est pas la peine de me jouer la comédie. Je ne suis pas aveugle. Ma présence vous est un continuel fardeau.

— Faith, je, je... je vous en prie, ne nous quittez pas.
— J'ai bien peur que ma décision soit prise, Mickey, et je suis têtue, peut-être que tu l'as remarqué.
— Comme une vieille mule, ai-je rétorqué sans réfléchir.
Je me suis mordu les doigts. Est-ce qu'elle allait m'assommer à coups de canne ? Non ; elle m'a fait son premier vrai sourire depuis son arrivée à Brooklyn.

13

JESS EST VENU me dire au revoir. Il s'en allait à l'université, c'est-à-dire à son entraînement de base-ball. Je lui ai dit que notre arrière-grand-mère voulait retourner dans le Montana.

— Et alors ? C'est super, non ?

Comment lui faire comprendre... Il aurait fallu lui lire de longs passages du journal et, même pour Jess, je ne pouvais pas faire ça. Je m'étais approprié le passé de Faith.

— Il faudra que tu te débrouilles pour remettre le cahier à sa place avant qu'elle ne s'aperçoive de sa disparition, a dit mon frère. Autrement, elle te transformera en pomme d'arrosoir avec son colt.

Il m'a laissé sur un éclat de rire. J'ai tiré les draps sous mon menton parce que je me sentais fatigué. Je n'avais même pas le courage de reprendre la lecture du journal.

Avant de m'endormir, je me suis fait une promesse : le monstre du Montana ne nous quitterait pas comme ça.

... mais ce diable à figure d'ange a réussi à se dégager et il a crié à ses deux hommes de main : « Descendez-moi ce fumier ! » J'étais tellement paniquée que je suis restée là, bouche ouverte, sans bouger ni crier, tandis que les bandits couchaient en joue mon père. Quand le premier coup de feu a claqué, j'ai fermé les yeux. Il y a eu une rafale de mitraillette, puis un deuxième coup de feu, et un troisième. Mes dents grinçaient. Jamais de toute ma vie je n'avais eu aussi peur. Ensuite, j'ai entendu la voix de mon père.

« Henri... vous les avez tués tous les trois. »
Je me suis décidée à regarder. Monsieur Legoueux sortait des fourrés, un fusil à la main. Il a craché par terre.
« Bon débarras. De la pourriture en moins. » Mon père s'est penché sur les corps recroquevillés de Little Jesus et de ses complices.
« Henri, est-ce que vous vous rendez compte de ce que vous dites ? C'étaient des hommes. »
Legoueux a craché à nouveau.
« Non, Evander. Ces gens sont des bêtes fauves. Regardez ce qui reste de mon nez, et dites-moi si votre femme, ou Faith ou Amely vous auraient plu ainsi.
— Mais c'est un meurtre », a dit mon père.
Il avait le souffle court.
« Encore une fois, non, Evander, s'est énervé le Canadien. C'est de la légitime défense. Mais ça, on ne pourra pas l'expliquer à un juge. Il faut enterrer les corps. Ou mieux que ça, nous allons les jeter dans le lac de Swan. Ils sont venus avec une de ces nouvelles voitures françaises de luxe, elle est sur le chemin ; il faudra la faire disparaître aussi. Ah, je vous signale enfin qu'ils ont brûlé ma maison. Ils me cherchaient, ne m'ont pas trouvé puisque j'étais chez vous. J'ai entendu les deux affreux qui en par-

laient pendant que vous discutiez avec Little Jesus. Je vais aller voir, mais je doute que ces chiens aient laissé une pierre debout. L'important, c'est qu'ils n'aient pas touché à la fabrique.

— Je ne sais pas, je ne sais pas... Il faut que j'aille voir si June et les filles vont bien », a bredouillé Père.

En entendant cela, je me suis sauvée sans bruit. Sur le chemin du retour, j'ai croisé Mère qui courait, échevelée. Elle avait entendu les coups de feu. J'ai eu juste le temps de me cacher dans un buisson.

Je suis remontée dans notre chambre par la gouttière.

11 AVRIL 1922

Presque un mois sans te parler, cher journal.

Et pourtant, je t'emmène avec moi tous les jours, dans un sac. Je ne veux pas qu'on te lise. Notre existence est aussi différente que possible de celle que nous vivions à Chicago. Henri Legoueux ne parle plus de se reconstruire une maison et il a trouvé sa place chez nous, en arrangeant une partie de la grange de Barbapoux. Même ma mère, qui était la plus réticente, semble l'aimer. C'est tout à fait étrange quand on pense que cet homme a fait de mes parents des hors-la-loi. Parce que maintenant, je sais. Mon père a encore parlé de la distillerie quand il croyait que je n'entendais pas. Nous sommes des bandits. Et je pense qu'Amely se doute de quelque chose, elle aussi. Mais je n'en ai parlé à personne.

14

ALORS LÀ, j'étais scié à la base. Des truands dans la famille... Faith, fille de trafiquants... J'ai attendu la visite du matin de ma mère et je lui ai demandé de m'apporter mon livre d'histoire dans la soirée. Elle a été très étonnée parce que d'habitude, je ne montre pas un enthousiasme excessif pour les études.

Quand j'ai eu le volume entre les mains, j'ai cherché. Prohibition, prohibition... Prohibition :

« 17 janvier 1920, le 18e amendement interdit la fabrication, le transport et la vente d'alcool sur le territoire des États-Unis. Développement immédiat du banditisme. Les bootleggers fabriquent et vendent en fraude de l'alcool, souvent de mauvaise qualité. Les rivalités entre gangsters et la lutte des autorités contre ce crime organisé provoquent plus de 2 500 morts, 2 000 civils et 500 policiers. La prohibition est abolie le 20 février 1933. »

L'histoire de Faith datait de 1922. On était en plein dedans. J'ai pensé au feuilleton *Les Incorruptibles,* vous savez, le truc avec Eliot Ness. Et j'ai compris que c'était une chose de voir un film en noir et blanc à la télé, et tout à fait autre chose de constater que votre arrière-grand-mère jaillissait pour ainsi dire d'un livre d'histoire pour vous faire un petit coucou, avec des vêtements qui sentent encore la poudre.
J'ai eu envie de sauter de mon lit et d'aller demander à Faith de tout me raconter elle-même. Mais qui sait comment elle réagirait ? Peut-être m'assommerait-elle à coups de canne et reprendrait-elle son cahier ? Alors, je ne connaîtrais jamais la suite de ses aventures.

3 MARS 1922

Amely sait tout. Sauf peut-être que Little Jesus et ses complices ont été tués par Henri. Oui, je l'appelle comme ça maintenant. C'est lui qui a insisté. Bon. Amely a entendu nos parents qui parlaient ensemble de la distillerie.
À l'école, nous avons appris à nous faire respecter. J'ai cogné – un bon coup de bûche sur le bras – un de ces crétins de garçons qui m'avait pincé le derrière. Il s'appelle Sulpicius. Moi, si j'avais un prénom pareil, je me cacherais plutôt que de faire le malin. Il a les cheveux dans la figure et c'est le

clown de la classe. Je crois bien qu'il a deux ou trois ans de retard. Mon Dieu... C'est vrai qu'il est assez beau. Mais qu'est-ce que c'est que ces manières ?

11 MARS 1922

Sulpicius m'a dit que nous étions une famille très mystérieuse. Nous faisons parler à Blackberry. « Mais, a-t-il ajouté en me faisant un clin d'œil, la police n'est pas très active ni efficace dans le coin. »

Je suis revenue à la maison épouvantée, mais je n'ai pas osé répéter ça à mes parents. Ils ne savent pas qu'Amely et moi sommes au courant. Officiellement, Père et Henri s'occupent toujours d'une scierie.

2 AVRIL 1922

Je me suis laissé approcher d'un peu plus près par Sulpicius Brown, afin qu'il me dise ce qu'on raconte exactement sur nous, en ville, et. Non. Cher journal, je ne peux pas te mentir, à toi. J'ai accepté d'être embrassée parce que Sulpicius me plaît. Et aussi un peu pour qu'il me parle de tout ça. Ainsi, cela me donne une excuse et j'ajoute l'utile à l'agréable.

Il a quinze ans. Ses parents sont fermiers. Si on m'avait dit, à Chicago, que le premier garçon qui m'embrasserait serait un fils de paysans... Mais je dois reconnaître qu'il est beaucoup plus beau, et plus drôle, que les garçons de Chicago.

7 AVRIL 1922

Sulpicius, Sulpicius, Sulpicius, Sulpicius.

SULPICIUS.

15 AVRIL 1922

Amely m'a fait une scène épouvantable. Elle dit que je suis dégoûtante de me laisser embrasser comme ça. Et moi, je lui réponds qu'elle est jalouse. Nous ne nous parlons plus. Je crois que Mère va aider Père et Henri à la distillerie ; je l'ai entendue hier qui en parlait. Père n'était pas d'accord mais elle avait l'air décidé. C'est curieux, je devrais avoir peur de la police, ou d'autres bandits.

Sans doute ai-je l'esprit trop occupé par Sulpicius, mon adorable petit Sulpicius.

23 AVRIL 1922

Cette crapule, ce SALAUD de Sulpicius. Je l'ai surpris en train de faire un baiser dans le cou à cette imbécile de Sarah Winsky. Je l'ai poursuivi avec une fourche dans les rues de Blackberry mais je n'ai pas réussi à le rattraper. C'est égal, il faudra bien qu'il vienne à l'école demain. Quant à Sarah, avec les deux yeux au beurre noir que je lui ai collés, elle ressemble à un loir !

24 AVRIL 1922

Nous sommes réconciliés. Sulpicius s'est mis à genoux et m'a promis de ne plus recommencer. Il faudra tout de même que je le surveille. Les garçons sont fourbes et je me demande si ce n'est pas la peur qui le pousse à tous ces serments.

15

FAITH ET MOI devions quitter l'hôpital à peu près en même temps. Je redoutais que la vieille dame sorte prématurément et découvre ainsi l'absence du premier cahier.

Il restait trois jours avant notre départ ; je me suis décidé à aller la voir dans sa chambre.

Elle a posé sur les couvertures son roman policier et m'a demandé, tout à trac :

— Toi aussi, tu aimes lire ?

Mon estomac a fait un looping. Est-ce que c'était une allusion au cahier ? J'ai décidé que non. Faith, même s'il était bien difficile de savoir ce que son expression froide cachait, était de ces personnes qui vous disent les choses en face.

— Oui, j'aime bien les trucs historiques, vous voyez, l'histoire du XXe siècle, tout ça...

Mon astuce m'a fait honte, mais j'ai eu envie de rire

en même temps. La vieille dame m'a fixé avec son fameux rayon X et l'envie de pouffer m'a immédiatement quitté.

— Faith...

— Mmm ?

— Nous avons été gentils et hospitaliers, n'est-ce pas ? Enfin, nous vous avons bien accueillie, pas vrai ?

— Mais... Oui ? Oui ! Qu'est-ce que c'est que cette question ?

— Moi, j'ai été aimable, et tout ?

— Oui, mais...

— Parfait. Alors, j'ai un service à vous demander. Un peu comme un échange de bons procédés, vous voyez ?

Elle n'a pas répondu. Elle s'est contentée de me regarder et j'ai dû avaler ma salive avant de poursuivre.

— Restez avec nous. Pour une fois, ne vous entêtez pas à camper sur une décision. Changez d'avis.

— Comment ça, « pour une fois » ? Tu me parles comme si tu connaissais beaucoup de choses sur moi, mon garçon.

J'ai jugé plus sage de ne pas répondre. Son regard s'est fait plus fixe encore. J'en avais les jambes qui flageolaient.

— Si je savais pourquoi, a-t-elle murmuré pour elle-même.

— Parce que vous êtes une vieille folle antipathique et teigneuse, et que ça me change de la gentillesse qui règne habituellement à la maison. Voilà pourquoi. Maintenant, faites ce que vous voulez. Je m'en fiche.
Je suis sorti dans le couloir en proférant des malédictions.

Au cours des deux jours qui ont suivi, Faith n'est pas venue me voir dans ma chambre. Et je ne suis pas allé chez elle. J'ai repris la lecture du cahier.

5 MAI 1922

Nos parents ont beaucoup changé depuis la mort de Little Jesus et de ses deux complices. Même si ces trois hommes étaient des monstres, cela reste un meurtre. Mon père n'a pas de sang sur les mains – ce n'est pas lui qui a tiré –, mais je vois bien qu'il se sent aussi responsable qu'Henri. Quant à Mère, elle s'est encore durcie. Je sais qu'elle a peur pour nous ; je sais aussi que lui parler pour la rassurer ne ferait qu'envenimer les choses. Sans aucun doute préfère-t-elle que nous ne sachions rien.

Père va acheter une nouvelle voiture. Je crois qu'Henri, maman et lui vendent beaucoup d'alcool, et à un prix très élevé. C'est en tout cas ainsi que je m'explique ce soudain arrivage d'argent. Ils utilisent deux hommes à la scierie, qui la font tourner seuls le plus souvent et qui n'ont pas l'air de vouloir poser de questions. Mais il ne faudrait pas être bien malin pour découvrir le pot aux roses. Même moi, qui n'ai que douze ans, j'ai tout compris. Ce qui sauve la famille pour l'instant, c'est que, comme me l'avait dit Sulpicius, la police n'est pas très active dans le coin. Et à voir le nombre d'ivrognes qu'on rencontre dans les rues de Blackberry, je pense que tout le monde est content de cet état de fait.

Mais je me pose tous les jours la question : comment mon père, bras droit du patron d'une grande entreprise de Chicago, a-t-il pu en arriver là ? Le monde est étrange.

19 MAI 1922

La neige a fondu pour de bon.

Il n'en reste plus rien. Et la forêt se réveille tout à fait, maintenant. Je me mets à aimer tellement la nature qui nous entoure que j'en viens parfois à accepter le prix qu'il faut payer pour vivre ici : la peur, en permanence.

J'ai posé le journal pour réfléchir. Comme Faith avait changé depuis qu'on lui avait offert ce cahier. La première année était faite de petites réflexions un peu capricieuses, de détails concernant « l'horrible vie sans domestiques », de disputes avec Amely... Puis, à mesure que la vie passait, mon arrière-grand-mère changeait. À mon âge, elle parlait presque comme une adulte. Je me suis demandé si je ne l'enviais pas un peu. À ce stade du journal, elle n'en était qu'au tout début de son existence. Que s'était-il passé ensuite ?

16

— Écoute-moi bien, mon garçon. Je renonce à comprendre tes raisons. Mais si tu y tiens tant que ça, je resterai encore un peu avec vous. Encore une chose : je suis vieille, antipathique et teigneuse, mais pas folle. Nous sommes bien d'accord ?
— Tout... tout à fait d'accord.
— Et maintenant, puisqu'il nous reste quelques heures avant que tes parents viennent nous chercher, nous allons jouer aux échecs.
— Ben, c'est que je ne suis pas très bon, et...
— Tu as voulu que je reste, non ? Je prends les blancs. Allez, installe tes pions.

Quand nous sommes revenus à la maison, je me suis précipité dans la chambre tandis que Faith se reposait sur le canapé du salon. J'ai sorti le journal que j'avais glissé sous mon blouson et je l'ai remis dans la valise.

C'est à ce moment que je me suis dit que c'en était fini des indiscrétions faciles : maintenant que Faith serait bloquée à la maison par sa cheville, je ne pourrais plus aussi aisément faire main basse sur les cahiers...
Comme pour confirmer mes pensées, Faith est entrée, s'est laissé tomber sur son lit en grimaçant :
— Nom d'un chien. Finies les promenades, et pour un bout de temps.

Sa cheville cassée ne l'empêchait pas de se réveiller tôt, mais elle se contentait de traîner dans l'appartement comme un fantôme. Est-ce que je m'habituais à sa présence ? Toujours est-il que j'avais l'impression qu'elle faisait moins de bruit. Elle glissait dans la cuisine, dans le salon, elle tournait en rond. J'étais sûr qu'elle pensait à son passé. Qu'étaient devenus ses parents, Henri Legoueux et Amely ? Comment et quand avait-elle eu mon grand-père, le père de ma mère ? Les quelques extraits de l'année 1954 que j'avais lus ne mentionnaient pas la présence d'un enfant. Et à cette époque, Faith avait déjà quarante-quatre ans... Qu'était-il advenu de la distillerie ? Y avait-il eu d'autres drames, d'autres morts violentes dans l'entourage de cette très vieille dame qui n'avait pas toujours été vieille ?

Le deuxième soir après notre retour de l'hôpital, j'ai pris une décision complètement folle : je récupérerai le journal pendant la nuit et je le lirai sous mes couvertures. Faith dormait comme une souche, il n'y avait pas de raison que je la réveille. Je VOULAIS connaître la suite de sa vie.

Ainsi, nuit après nuit, pendant des semaines, je me suis glissé sous le lit de mon arrière-grand-mère pour prendre le cahier et le dévorer à la lueur d'une lampe de poche.
J'y ai lu les progrès de la coupable industrie de mes arrière-arrière-grands-parents, les hauts et les bas de la relation entre Faith et Sulpicius, le rythme des saisons qui passaient dans la forêt. Et Faith, que je côtoyais tous les jours, ne semblait pas remarquer l'affection grandissante que j'éprouvais pour elle. C'était une relation inédite et très curieuse, puisqu'en apparence nous n'avions que peu de contacts ; mais à chaque page je me rapprochais d'elle...

23 JANVIER 1924

Aujourd'hui on a fêté mes quatorze ans. J'ai dit à Henri que je ne voulais pas de cadeau, mais qu'une discussion avec lui remplacerait avantageusement tout ce qu'il pourrait me donner. Il en a été intrigué, et un peu inquiet ; je l'ai bien vu. Après le déjeuner, nous sommes partis tous les deux nous promener dans la forêt avec les raquettes car la couche de neige est très épaisse. J'ai demandé à Henri de me dire pourquoi nous étions ici, et une fois de plus, comment il avait rencontré mon père.

« Dans un bar à Chicago, m'a-t-il dit.

— Et qu'est-ce que tu lui as raconté pour qu'il décide d'emmener toute sa famille vivre comme des sauvages dans les bois ? »

Là, il a eu l'air embêté. Il s'est arraché quelques poils de barbe et il a grogné qu'il ne pouvait rien me dire là-dessus et que si je voulais en savoir plus, c'étaient mes parents que je devais interroger.

Je me suis mise en colère et, sans réfléchir, je lui ai crié que je savais qu'il était un bandit, qu'il avait tué Jim Cribb et les deux hommes, et que Mère, Père et lui s'occupaient d'une distillerie clandestine. Il en a été tellement choqué qu'il a coincé une de ses raquettes dans une racine et qu'il s'est étalé dans la poudreuse. Puis il s'est relevé, il a balayé la neige qui s'entassait sur une grosse souche, s'est assis et il a sorti sa pipe, qu'il a bourrée avec soin. « Je pensais bien que tu étais au courant pour la distillerie, a-t-il soupiré, mais je ne pensais pas que tu savais, pour... Tu as vu les corps ? » Je regrettais déjà de lui en avoir parlé. Il n'a plus rien dit; moi non plus. En rentrant, il a insisté pour me donner le cadeau qu'il m'avait acheté : c'était une poupée. J'aurais pu expliquer que j'avais passé l'âge de jouer mais, après la discussion que nous avions eue, c'était inutile : Henri l'avait certainement compris.

17

UNE NUIT, j'ai failli être surpris. J'étais en train de lire, les couvertures dressées au-dessus de ma tête façon chapiteau de cirque, quand j'ai entendu la voix de Faith.

— Qu'est-ce que tu fabriques, mon garçon ? Il est deux heures du matin !

Lugubre, j'ai émergé de mon refuge.

— Euh... Je lis, Faith. Je n'arrive pas à dormir.

— Tu n'as pas besoin de te cacher comme ça. La lumière ne me gêne pas.

— Ah, euh, bon, bien, bien...

— Et qu'est-ce que tu lis de si passionnant ?

La valise, ouverte, dépassait de sous le lit de la vieille dame. J'ai pris une inspiration pour essayer de dompter la trouille.

— Une... une BD.

— Ouais, encore de ces trucs de flemmards. Bonne nuit.

Elle s'est tournée vers le mur. J'ai éteint ma lampe de poche et j'ai écouté sa respiration. Quand après de longues minutes j'ai entendu qu'elle devenait plus régulière, je suis allé à tâtons remettre le journal dans la valise.
Tandis que je me reglissais entre les draps, je me suis dit que cette technique nocturne n'était décidément pas sans danger et qu'il faudrait trouver autre chose.

19 AVRIL 1924

Nous allons déménager. Nos parents sont en train de faire construire une grande maison, encore plus isolée dans les bois, mais beaucoup plus belle. Les ouvriers se mettront au travail demain, sous la direction d'Henri. Amely et moi aurons chacune notre chambre, hourra ! Et Henri occupera tout le deuxième étage pour lui, car notre nouveau palace comportera deux étages. Père m'a montré les plans, tout devrait être fini en octobre, avant les premières neiges.
Il y a deux jours, trois types louches, avec de sales têtes, vraiment, sont venus parler avec Henri. Il les a enguirlandés, quelque chose de bien, en leur disant qu'il était interdit de venir le voir ici. J'ai eu très peur, parce que j'ai cru qu'il allait se passer la même chose qu'avec Little Jesus. En fait il ne

s'agissait que de gens avec qui Père et Henri sont en affaires. Rien qu'à les voir, on devine que ce ne sont pas d'honnêtes commerçants. Je ne m'habitue pas à tout ça. Mère était folle de rage après cette visite, elle a entraîné Henri dans la buanderie ; j'ai entendu des éclats de voix. Elle a peur pour ses filles. Il nous devient de plus en plus difficile, à ma sœur et à moi, de prétendre que nous ne savons rien. En tout cas, je sais qu'Henri n'a pas répété ce que je lui avais dit le jour de mon anniversaire.

1ER MAI 1924

Sulpicius est parti travailler à Great Falls. Son père en avait assez qu'il ne fiche rien à l'école. Il ne reviendra que pour les vacances. J'ai beaucoup pleuré mais lui avait l'air content d'aller vivre dans une grande ville. Ah, les hommes ! Amely m'a dit que c'était très bien comme ça parce qu'il avait une mauvaise influence sur moi. Je lui ai donné une baffe. Nous nous sommes battues comme des animaux dans la cour de l'école. Et puis nous sommes allées boire un chocolat dans le salon de thé de madame Chainsaw, qui nous a regardées d'un drôle d'air parce que nos robes étaient déchirées et pleines de boue. Cette crapule de Sulpicius doit être en train de se frotter les mains en pensant à toutes les jolies filles de Great Falls.

3 JUIN 1924

Henri est revenu à la maison avec un trou dans le bras. Il n'a rien voulu dire mais je suis sûre qu'il s'agit d'une blessure par balle. Père est allé chercher le médecin à Blackberry et j'ai vu qu'il lui avait donné bien plus que le prix normal. Sans doute pour qu'il se taise. Est-ce que les histoires vont recommencer ? J'ai eu beau tendre l'oreille, je n'ai rien pu surprendre des décisions que prenaient Henri et mes parents. Amely vient de se réveiller et me demande ce que je fais : elle sait très bien que j'écris mon journal.

Je lui dis de se rendormir : « Bonne nuit, Amely. » Ça y est, elle fait semblant de ronfler. Elle est aussi inquiète que moi. Heureusement qu'elle ne se doute pas de la façon dont les choses se sont terminées la dernière fois. Au fait, je n'ai aucune idée de l'endroit où se trouve cette distillerie. Je crois que je vais me décider à aller y faire un tour. Plus on en sait, moins on a peur. C'est ce que je crois, en tout cas : ce qui fiche vraiment la trouille, c'est l'inconnu.

18

4 JUIN 1924

J'ai eu de la chance : Père et Henri sont partis très tôt ce matin, et je les ai entendus. Comme il restait deux bonnes heures avant notre lever habituel, je me suis dit que j'avais le temps de les suivre, puis de revenir à la maison avant que Mère monte nous réveiller. J'ai utilisé cette bonne vieille gouttière. Tandis que Père et Henri prenaient congé de Mère, j'ai entendu cette dernière qui disait : « N'oublie pas que tu as deux enfants. Elles ont besoin de toi. »

Père a grogné, Henri a chuchoté : « Ne vous en faites pas, June. C'est la dernière fois. Il n'y aura plus jamais d'ennuis de ce genre. »

Elle n'a pas répondu.

J'avais peur qu'ils partent avec la nouvelle Ford ; là, j'aurais été bien incapable de les suivre. Mais heureusement, ils ont marché. Le soleil s'est levé et ses

rayons ont transpercé les branches. Un lièvre est parti comme un boulet, devant Père et Henri. Bien que ceux-ci aient chacun porté un fusil, ils n'ont pas tiré. C'est qu'ils n'avaient certainement pas la tête à ça et puis les armes étaient peut-être chargées pour un autre gibier...
Jamais personne n'aurait pu trouver la distillerie, même en la cherchant dans le coin. Henri Legoueux connaît cette région mieux que personne, sans doute, ou bien a-t-il eu la chance de rencontrer cette caverne par un heureux hasard. Je n'en sais rien. L'entrée n'est guère plus grosse que la porte d'une maison, elle se trouve au milieu d'une falaise, à une demi-heure de marche de chez nous. L'ouverture est cachée par des broussailles.
Je me suis tout de suite demandé comment Henri et mon père faisaient pour effacer leurs traces en hiver, quand il y a de la neige ; je suis sûre qu'ils ont trouvé un moyen. En tout cas, ils ont poussé les broussailles et sont entrés dans la grotte. Je ne les y ai pas suivis. Ils sont ressortis au bout de dix minutes, Père tenant les deux fusils, Henri portant deux caisses visiblement très lourdes. « Je vais chercher le camion », a dit Père.
Je lui ai emboîté le pas, depuis l'orée de la forêt. À quelques centaines de mètres – sans doute pour ne

pas dénoncer la présence de l'entrée de la caverne – était garé un camion Sentinel à vapeur. Père est monté dedans et a démarré. En longeant la falaise, il y avait juste assez de place pour laisser passer le camion. Henri et Père ont chargé les caisses sur le plateau bâché, ont remis en place avec soin les broussailles devant l'entrée de la grotte et ils sont partis.

Après avoir roulé une cinquantaine de mètres, le camion s'est arrêté. Henri est descendu et, à pied, il a fait l'aller-retour entre le camion et la grotte. J'ai d'abord cru qu'il avait oublié quelque chose, puis j'ai compris qu'il regardait s'ils n'avaient pas laissé de traces de leur passage. Il a ensuite couru vers le camion et ils sont partis pour de bon.

J'ai écarté les broussailles et je suis entrée dans la grotte. Il y régnait une obscurité totale. Espérant que mes yeux se feraient au noir et que j'y verrais bientôt mieux, j'ai attendu un peu. Mais non, il faisait trop sombre. J'ai tâtonné un moment avant de mettre la main sur une lampe à pétrole, et j'ai dû encore chercher pour trouver la boîte d'allumettes suédoises posée sur un tabouret, à côté.

La caverne était beaucoup plus grande que ce que j'avais imaginé. La première chose que j'ai vue m'a énormément étonnée. Il y avait des peintures sur les murs : des mains de couleur ocre, une espèce de bison, une tête de cerf. Ensuite, j'ai vu le matériel de la distillerie. Une chaudière dont la cheminée se perdait vers les hauteurs de la grotte, des récipients de verre aux formes compliquées, des serpentins métalliques, un cadran à aiguille qui doit servir à vérifier la pression : l'ensemble ressemblait un peu à certaines des machines que nous avons commencé à étudier cette année, en cours de chimie. Cela avait dû demander un travail colossal que d'installer tout ça. Les grosses machines qui ne pouvaient pas passer par l'entrée avaient sans doute été appor-

tées en pièces détachées, puis montées sur place. Dans un coin, il y avait une montagne de pommes de terre. Sans doute la matière première pour la fabrication de l'alcool. J'ai vu aussi d'énormes sacs de sucre, et des piles de sachets de levure.
Sur la droite de la grotte, s'alignant le long de toute la paroi, étaient rangées une bonne centaine de caisses semblables à celles qu'Henri avait emportées. Sur chacune était gravé au feu : SWEET CANDIES[1]. Père et Henri ont un humour douteux...

1. *Sweet candies :* sucreries, bonbons.

19

QU'EST-CE QUE J'AURAIS FAIT si mes parents avaient été des truands ? C'est le genre de question qu'on ne se pose pas. Mais le journal de Faith m'obligeait à réfléchir. Ce doit être sacrément difficile d'apprendre, à douze ans, que votre père est un trafiquant, que votre mère le sait et l'aide dans ses activités. Plus difficile encore d'assister à un meurtre, et tout à fait horrible de vivre dans l'expectative, à l'affût d'un nouveau drame. Peut-être Faith crânait-elle un peu, mais pour une fille qui avait à l'époque le même âge que moi il me semblait qu'elle faisait preuve d'une force de caractère hors du commun. Car, soyons honnête, j'étais obligé de reconnaître qu'à sa place, j'aurais été malade de trouille.

Ma lecture du journal a été facilitée par le fait que, contre l'avis de tout le monde, mon arrière-grand-mère s'est remise à faire ses promenades en s'appuyant sur ses cannes anglaises. Il y a encore un mois de ça, mon père et moi aurions prié pour qu'une nouvelle plaque de verglas mette fin une bonne fois à notre calvaire. Et ma mère aurait dû penser très fort à ses liens familiaux pour ne pas partager nos souhaits. Mais, même pour mes parents qui ne lisaient pas son journal, Faith n'était plus tout à fait la même. Ses sarcasmes se faisaient moins virulents et, à l'heure des repas, elle ne balayait plus l'assemblée de son regard supraglacial. Un jour elle a même apporté un bouquet de fleurs à la maison, et elle a eu beau prétendre que c'était parce que la nature lui manquait dans cette ville sinistre, nous avons bien deviné qu'elle nous faisait un cadeau.

7 JUIN 1924

Parce que j'étais morte de sommeil, je n'avais pas trouvé l'énergie, cher journal, de te raconter la fin de mes aventures du 4 juin. Voilà. Je suis sortie de la caverne, j'ai remis en place les broussailles devant l'entrée. Et tout à coup, j'ai pensé à l'heure. Bon sang ! J'avais oublié ma montre – celle que mes parents m'ont offerte pour mes quatorze ans – dans le tiroir de ma table de chevet ! J'ai couru comme une folle, je me suis un peu perdue, j'ai fait demi-tour, j'ai virevolté comme une toupie avant de retrouver mon chemin. Et quand je suis arrivée à la maison, j'ai vu qu'il y avait de la lumière à l'étage. Horreur ! Maman était déjà montée nous réveiller. Mon premier réflexe a été de me cacher derrière un arbre, puis j'ai compris que c'était stupide et qu'il faudrait bien rentrer, à un moment ou à un autre. Alors, j'ai eu une idée géniale : j'ai ramassé autant de branches mortes que j'ai pu trouver et, en faisant exprès de siffler très fort, je suis passée devant la maison.

Mère a aussitôt ouvert la porte. J'ai eu le cœur serré en voyant comme elle était inquiète. « Où étais-tu ? a-t-elle crié, je te cherche depuis un quart d'heure. » Heureusement, j'avais entendu Père, quelques jours auparavant, dire que nous allions bientôt manquer de bois. J'ai expliqué que je m'étais réveillée plus tôt que d'habitude et que j'étais allée ramasser de quoi faire le feu aujourd'hui, pour économiser les réserves.

Je ne sais pas si elle m'a crue ; le principal, je crois, était que je sois en bon état. Elle a insisté pour nous accompagner à l'école. Barbapoux, qui n'est toujours pas en pleine forme, nous a tout de même tirées jusqu'à Blackberry.

Juste avant d'entrer en classe, Amely m'a chuchoté : « Ramasser du bois, hein ? Prends maman pour une andouille si tu veux mais avec moi ça ne marche pas. »

— Quand même, la vieille, elle m'impressionne, a dit Ismael. Je me souviens, mon père, quand il s'est pété la cheville, il a traîné devant la télé pendant des semaines.

— On est comme ça dans la famille. D'ailleurs, regardez mon épaule !

J'ai lancé le bras en l'air, pour faire le malin, et je n'ai pas pu retenir un couinement de douleur. Les copains ont ricané comme des hyènes.

— Vachement impressionnant, a dit Marcus.

Vexé, j'ai suggéré que nous parlions d'autre chose.

— Ben, justement, a soupiré Ismael.

— Oui, justement, a renchéri Donovan.

— Qu'est-ce qui vous arrive, les gars ? C'est moi qui reviens de l'hôpital, et c'est vous qui vous comportez comme des givrés. Qu'est-ce que ça veut dire, « justement » ?

— On sait pas comment te dire. Euh... Rocky Carpaccio nous a piqué les *blades*.

— QUOI ?

— Euahum. Comme ma paire était pétée, je suis allé la faire réparer chez *Roller's Heaven* ; et puis je me suis dit qu'on n'avait qu'à en profiter pour apporter aussi les autres pour les régler et changer la gomme des freins... Hier, je suis allé les chercher et puis j'ai croisé Rocky en sortant du magasin. Et, et... Et bon, il m'a piqué les quatre paires.

— Les quatre... Mais, les « Funroad » que vous m'avez offerts, ils sont toujours chez moi ?

— C'est-à-dire que je voulais te faire une surprise et je les avais apportés aussi, pour faire poser une petite décoration en plus, et...

— Alors là, bravo ! C'est la meilleure nouvelle de l'année.

20

UNE VRAIE bande d'abrutis. Mes copains étaient des demeurés. Surtout des trouillards, d'ailleurs. Parce que, si Donovan était seul quand Rocky lui avait barboté les patins, Marcus, Ismael et lui savaient très bien où trouver la grosse brute.

Cet animal de Rocky Carpaccio habitait le quartier, à deux pas de chez nous. Au cas où vous ne l'auriez pas deviné, il était d'origine italienne, comme moi. La honte de la communauté : une cruauté de mafioso, et en plus complètement crétin.

À quinze ans, il dépassait d'une bonne tête la plupart des adultes. En coupant une de ses mains pour la faire rôtir, on aurait pu nourrir une famille de Chinois pendant un mois. Il avait un visage... Un de ces visages qu'on rencontre dans les magasins de farces et attrapes, au rayon des monstres en caoutchouc.

Je pouvais comprendre que Donovan se soit laissé

impressionner. Mais nom d'un chien, avec Ismael et Marcus, ils étaient trois ! Ma blessure à l'épaule posait problème. Si l'affreux me flanquait un coup de battoir sur la clavicule, j'étais bon pour un retour à l'hôpital. J'ai pourtant décidé que notre prestige était en jeu. Je prendrais la direction des opérations. Comme on n'est jamais trop prévoyant, j'ai passé la matinée à chercher la vieille batte de base-ball de Jess (extrémité en aluminium), et je l'ai finalement retrouvée dans le placard à balais.

On m'objectera avec une certaine logique qu'il aurait été plus simple et surtout plus intelligent de prévenir nos parents ou la police. Et je répondrai que les règles de notre quartier sont un peu particulières. Sans vouloir les détailler, je me contenterai de dire qu'ici, on s'occupe de ses histoires tout seul ; faute de quoi on se déshonore. Je sais que c'est stupide, que c'est dangereux, que c'est illégal, mais c'est comme ça.

Quand nous sommes arrivés à la boucherie, on nous a dit que Rocky Carpaccio n'était pas encore là, et on nous a priés de l'attendre dehors. La batte de base-ball, que j'avais glissée dans une jambe de mon pantalon, gênait plutôt mes mouvements. J'ai dû patienter debout tandis que les copains se sont assis sur le trottoir.

C'est très mauvais, l'attente, dans ces cas-là. À mesure

que le temps passait, nous étions tous un peu plus angoissés. Enfin, un camion frigorifique s'est arrêté devant la boucherie, le chauffeur a sauté à terre et son compagnon a suivi, de l'autre côté du véhicule. Le compagnon, c'était Rocky. Il ne nous a pas vus tout de suite – nous n'avons rien fait pour ça, d'ailleurs – et il est allé décharger le camion. Il a fait glisser sur son épaule une demi-carcasse de bœuf et l'a portée dans la boucherie avec autant de facilité que si elle avait été en caoutchouc gonflable.
J'ai entendu Donovan qui claquait des dents.
— Un peu de dignité, bon sang ! lui ai-je dit.
J'espérais qu'il ne voyait pas mes jambes qui tremblotaient, façon pudding à la gelée...
Frankenstein est ressorti de la boucherie en essuyant ses mains sur sa blouse blanche déjà maculée de rouge. Et il nous a vus. Un large sourire a déformé son faciès de gargouille et il est venu vers nous sans se presser. J'avais l'impression que les copains et moi tressautions à chacune de ses enjambées, comme s'il avait été le géant de *Jack et le Haricot*.
— Qu'est-ce qui se passe, mes petits poussins ?
— On veut te parler. Viens dans la ruelle.
— Euark, euark, euark !
Je n'exagère pas. Il faisait vraiment ce bruit-là en rigolant...

— Euark, allons-y. J'ai du travail.
Marcus, Donovan et Ismael m'ont jeté des œillades épouvantées. Ils ne trouvaient pas ça très fin, le coup de la ruelle. Mais je ne pouvais tout de même pas sortir la batte de base-ball comme ça, devant les passants. Et quelque chose me disait que nous pourrions en avoir besoin.
Dès que nous avons été tranquilles, j'ai pris ma plus grosse voix pour menacer :
— Rends-nous les *blades,* ducon.

Il s'est mis à rire tellement fort que j'ai failli lui dire qu'il allait se faire du mal. Pendant qu'il se gondolait, j'ai extirpé la batte de mon pantalon. Les copains affichaient tous les trois des visages blancs comme des Kleenex.

— Pour la dernière fois, gros taré, tu vas nous les rendre, nos *blades* ?

Il a lancé la main à une vitesse incroyable et m'a arraché la batte. Puis, dans le même mouvement, il l'a fait pivoter en direction de ma tête.

21

— Tu ne veux vraiment pas nous dire ce qui s'est passé ?

— Mais puisque ça fait dix fois que je vous explique que je me suis cassé la figure en glissant, comme Faith !

Ma mère n'en croyait pas un mot. Pas plus que mon père. Quant à mon arrière-grand-mère, elle me regardait sans rien dire – sa grande spécialité.

Le repas s'est enfin achevé et je suis allé m'admirer dans la glace de la salle de bains. La moitié du visage bleuâtre, façon Schtroumpf. Rocky ne m'avait pas loupé. Et bien sûr, il avait gardé les *blades*.

— Qui a fait ça ?

Faith se tenait dans l'embrasure de la porte. Elle avait l'air furieux. Je n'ai pas eu envie de lui mentir, comme ça, en tête-à-tête.

— Je ne peux pas vous le dire, Faith.

— Ah, tu ne peux pas ?

Elle a haussé les épaules et m'a tourné le dos.
En traînant les pieds, je suis allé préparer mon cartable.

C'est deux jours plus tard, au petit déjeuner, que Donovan est arrivé chez nous échevelé, les yeux lui sortant de la tête. J'ai remarqué que Faith faisait une grimace ironique, comme si elle connaissait la cause de ce désarroi.
Après avoir salué mes parents qui étaient un peu étonnés, Donovan m'a entraîné dans ma chambre.
— Ton aïeule, là, elle est atteinte, c'est pas possible ! C'est la maladie d'Alzheimer, ou alors elle a été bercée trop près du mur ?
— Oh, du calme. Qu'est-ce qui se passe ?
Il m'a raconté.
Faith était venu le trouver, la veille, tôt le matin. Comme elle me voyait traîner avec les copains depuis des semaines, je suppose qu'elle n'avait pas eu trop de mal à se procurer son adresse. Il lui avait fallu environ trente secondes – non mais, t'as vu ses yeux, s'est excusé Donovan – pour apprendre ce qui s'était passé. Elle avait récupéré mon pote plus tard et avait exigé qu'il l'emmène à la boucherie. Faith devait être encore plus impressionnante avec les étrangers, parce que entre affronter mon arrière-grand-mère et le Frankenstein

de la côtelette, Donovan avait choisi Rocky. Quand ce dernier avait vu arriver Faith, il avait presque fallu le ranimer tellement il avait rigolé.
Mais elle avait sorti son énorme revolver et elle l'avait planté dans les narines du costaud, qui s'était tout de suite calmé. Et comme la vieille dame avait fait son numéro au milieu de la boucherie, devant les clients, il s'était ensuivi une certaine pagaille, assortie de hurlements.
Faith avait dit à Rocky, d'une voix parfaitement calme, m'a assuré Donovan, qu'elle lui donnait deux jours pour rendre les patins, après quoi elle le tuerait. Puis ils étaient partis sans que personne ait repris ses esprits, ni que la police ait eu le temps d'arriver. Le soir même, un vendeur du *Roller's Heaven* qui connaissait Donovan l'avait appelé pour lui dire qu'un garçon avait laissé pour lui quatre paires de *roller blades* au magasin. Il n'avait pas l'air en forme, avait-il ajouté.

— Cette fois-ci, mon garçon, je pars pour de bon.
J'étais venu dans la chambre pour lui expliquer que mon quartier n'était pas le Far West et qu'elle allait faire mettre toute la famille au trou si elle continuait son cirque. Sa phrase m'a pris de court.
— Alors ça recommence, ces histoires de départ ?

— Je suis malheureuse ici, Mickey.
Cet aveu, sortant de la gueule du dragon, m'a anéanti. Il fallait vraiment qu'elle soit au degré zéro pour parler comme ça. J'ai cherché quelque chose à lui répondre.
— Euh, de toute façon, vous êtes malheureuse aussi là-bas !
— Et qu'est-ce que tu en sais ?
— Je le sais, c'est tout.
— Si tu avais vécu comme moi presque quatre-vingts ans au milieu des arbres, tu comprendrais que la nature est la plus merveilleuse des consolations. Que lorsqu'on marche dans une grande forêt sauvage, on ne peut pas se sentir vraiment mal. Ici, la nuit, on ne voit pas le ciel. À Blackberry, on monte sur la colline qui surplombe le lac de Swan et on s'assied sous les étoiles.
Le lac de Swan. Si je me souvenais bien, c'était là que le père de Faith et Henri Legoueux avaient fait disparaître Little Jesus et ses complices.
— Alors, pourquoi êtes-vous venue chez nous, Faith ?
— Je ne sais pas. Je... j'avais sans doute peur de mourir seule. Et tu vois, je suis encore bien trop solide pour que la mort veuille de moi...
Tandis qu'elle me tournait le dos pour ranger ses affaires, j'ai cru entendre qu'elle ajoutait : « Hélas... »

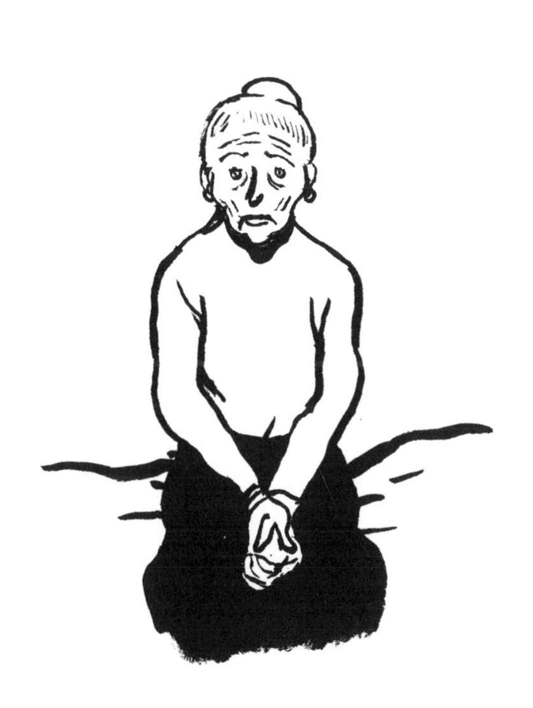

MALGRÉ LES PROGRÈS qu'elle avait faits depuis son arrivée, mes parents l'ont vue partir avec satisfaction.

— L'appartement était trop petit pour elle, a dit mon père, comme pour excuser son sourire.

— Elle sera mieux chez elle, dans un univers familier ; c'est important pour les vieilles personnes, a renchéri ma mère.

Moi, je n'ai rien dit et je me suis contenté de regarder le car Greyhound qui ramenait mon arrière-grand-mère à sa forêt et à sa solitude.

Comme elle ne nous téléphonait pas, trois jours plus tard je l'ai appelée pour lui demander comment s'était passé le voyage.

— Sans histoire, mon garçon. Sans histoire.

Je n'ai rien trouvé à ajouter, alors je lui ai dit au revoir et j'ai raccroché.

Ce n'est qu'au bout d'une semaine que j'ai vraiment ressenti un malaise. Faith était restée trois mois chez nous. Je découvrais, et j'en étais le premier étonné, que la vieille dame me manquait plus encore que les cahiers qui racontaient sa vie passée. Un matin, j'ai aperçu Rocky Carpaccio. Il a fait un grand détour pour m'éviter.
Ça m'a rendu nostalgique ; j'ai eu envie de lui courir après pour lui dire : « Elle était incroyable, la vieille, non ? » Une prudence élémentaire m'en a empêché.

Après un mois, j'ai compris que je ne pouvais tout simplement pas accepter que Faith vive seule là-haut, dans le Montana, avec son extraordinaire journal. Si elle mourait, est-ce qu'un abruti quelconque ne risquait pas de balancer les cahiers, et de ficher en l'air par la même occasion plus de soixante-dix ans d'histoire ?
Surtout, surtout, je ne voulais pas que mon arrière-grand-mère disparaisse avant que j'aie pu la revoir.
J'ai multiplié les petits boulots pour les commerçants, dans le quartier. Donovan, Ismael et Marcus tiraient la tronche parce que je n'avais plus le temps de faire du roller avec eux. Pour mes treize ans, j'ai demandé à la famille de me donner de l'argent, plutôt que des

cadeaux. Ils ont été un peu surpris – surtout que je ne voulais pas dire à quoi je destinais mes dollars –, mais après maintes discussions ils ont accepté.

En juin, j'avais mis quatre cent trente dollars de côté. J'ai alors annoncé à mes parents :

— Cet été, je vais chez Faith.

Ils m'ont regardé comme si je venais de contracter une forme de méningite inguérissable.

— Chez Faith ?

— CHEZ FAITH ?

— Ben, oui, chez Faith.

— Nous n'avons pas assez d'argent pour t'envoyer là-bas, a contre-attaqué ma mère.

J'ai étalé mes billets et mes pièces sur la table de la cuisine.

— Faith ? J'arrive dans quinze jours.
Je ne lui avais pas parlé depuis mon unique coup de fil, qui datait de plus de quatre mois. Il y a eu un long silence, suivi d'une toux méfiante.
— Mickey ? Dans quinze jours ? Mais...
— Oui, oui, je sais. Vous vous inquiétez pour savoir à quelle heure vous devez venir me chercher à l'arrêt du car. Je vous rappelle demain pour vous dire tout ça...
Pris d'une impulsion subite – qui était sans aucun doute due à l'envie de la provoquer un peu –, j'ai ajouté :
— Je vous embrasse !
Après, j'ai attendu ; c'était un pari. Soit elle rappelait pour m'envoyer bouler, soit elle digérait l'information et elle acceptait l'idée de mon intrusion chez elle. Après tout, elle avait bien procédé de la même manière avec mes parents.
La soirée a passé sans que le téléphone sonne.
Mon père est venu me voir dans ma chambre, événement rare.
Il a tourné sa tête dans tous les sens, comme pour chercher dans le décor une solution à sa perplexité, une explication de mon comportement.
— Tu veux vraiment aller chez cette vieille toupie ? Ou bien c'est Brooklyn qui te sort par les yeux, c'est ça ? Écoute, on doit pouvoir trouver un moyen pour

que tu fasses un séjour pas cher dans un club de vacances. Justement, il y a un truc près de Providence...

— Papa, tu ne comprends pas. J'ai envie de voir Faith. C'est mon arrière-grand-mère. Ce n'est pas une vieille toupie.

— Promets-moi que si ça se passe mal là-bas, tu rentreras immédiatement.

— Je te le promets. Mais ça ne se passera pas mal.

23

GREYHOUND est la plus importante et la plus connue des compagnies de cars aux États-Unis. On voit un peu partout dans les rues des panneaux publicitaires vantant ses mérites : généralement, ce sont des jeunes du genre surfeurs, super-cool, avec leurs mèches décolorées et leurs sourires stupides, qui posent en troupeau devant la porte du car en se tenant par l'épaule.
Qu'est-ce qu'on se marre avec Greyhound !
La réalité est plus sordide. Le seul avantage, LE SEUL, d'un voyage par car, c'est que c'est économique. On est assis à côté d'un ivrogne puant qui ronfle en postillonnant... On patiente en se disant qu'au prochain arrêt, on changera de place. Mais voilà : il n'y a pas d'autre place libre. Et c'est long. Et on s'ennuie. Et on a un mal de cœur atroce. Seuls un effort de volonté titanesque et un petit reste d'amour-propre peuvent

vous empêcher de vomir sur votre voisin puant. Est-il nécessaire que je raconte en détail mon voyage ? Non.
Je suis arrivé à Blackberry en bien plus mauvais état que Faith lorsqu'elle avait sauté du car à Brooklyn.

À ma grande surprise, mon arrière-grand-mère n'était pas seule. Un vieillard l'accompagnait.
Il était très grand et encore plus sec que Faith. Ses cheveux blancs tombaient sur ses épaules. Un grand cache-poussière beige lui donnait l'allure d'un épouvantail.

— Alors, fiston, on a fait bon voyage ? a-t-il demandé avant même que Faith ait ouvert la bouche.
Il m'a donné un tape dans le dos ; j'ai entendu nettement le bruit que faisait son bras : « Crouic, crouic ». Je ne savais pas que les rhumatismes pouvaient provoquer des sons pareils...
L'épouvantail s'est lancé dans une tirade sans fin, racontant qu'il était allé dans le Mississippi en Greyhound, et qu'à l'époque...
— La ferme, Sulpicius.
Il s'est arrêté net et a coulé un œil inquiet en direction de Faith.
— Si on ne le stoppe pas, on est encore là demain, a-t-elle expliqué.
Il a pris mon sac et a marché jusqu'à un pick-up Chevrolet. Sulpicius ? Il ne pouvait pas y avoir deux prénoms comme ça dans une petite ville comme Blackberry. Parce que c'était vraiment, vraiment petit. J'en avais une espèce de vertige. Malgré les deux jours de voyage, j'étais toujours à Brooklyn, dans ma tête. Je considérais le hameau qui m'entourait comme s'il s'était agi d'un village de poupées.
Le vieux Sulpicius n'était pas idiot. Il a gloussé :
— Alors, le citadin, c'est trop petit pour toi ? Quand nous étions jeunes, Faith et moi, nous... Enfin, Blackberry était plus grand. Et puis maintenant, tous ces

petits cons, ils vont travailler à Helena, ou à Great Falls. Alors, bien sûr, le commerce marche moins bien, ici. D'ailleurs...
— La ferme, Sulpicius.
Il a soupiré et a mis le moteur en route.
J'aurais pu dire : « Vous aussi, Sulpicius, un jour vous êtes parti travailler à Great Falls ! » Ça les aurait plutôt étonnés.

La maison ne ressemblait pas à celle que Faith avait décrite dans son journal. J'y étais venu une fois, quand j'étais très petit, mais à force de lire le cahier, je m'en étais fait une idée plus précise que dans mes lointains souvenirs.
Et puis j'ai compris qu'il s'agissait de la nouvelle maison, de celle dont son père lui avait montré les plans ; oui, il y avait bien les deux étages, et tout. Je m'attendais presque à voir un géant barbu, sans nez, descendre les marches du perron.
— Il fait soif, a dit Sulpicius.
Faith lui a tapoté le bras.
— Un seul, vieux brigand. Tu sais ce que le médecin t'a dit, la dernière fois.
L'épouvantail a déchargé le sac tandis que mon arrière-grand-mère engageait dans la serrure une clé noire en fer forgé. Au beau milieu des bois – nous

venions de traverser quatre ou cinq kilomètres de forêt avec le pick-up –, ces précautions me paraissaient bien inutiles.

Comme si elle avait lu dans mes pensées, Faith a dit :

— On m'a cambriolée, il y a deux ans, pendant que j'étais à Blackberry.

— Il n'y a plus de jeunesse, c'est une honte, a glapi Sulpicius.

J'ai repensé à la distillerie, aux tueries dans la forêt, et je me suis dit que les choses étaient sans doute plus calmes maintenant...

Faith a servi à Sulpicius un minuscule fond de bourbon dans un verre en cristal. L'épouvantail a tendu le bras – crouic, crouic – et a descendu la dose d'un trait.

— Bon. Je m'en vais.

Ses joues étaient un peu plus rouges.

— Au revoir, Sulpicius. Je passerai te voir un de ces jours. Merci pour le gamin.

— Au revoir et merci, monsieur Brown, ai-je lancé en lui serrant la main.

Je me suis mordu les lèvres, mais trop tard. Je n'étais pas censé connaître son nom de famille. Que j'avais lu dans le journal.

Mais aucun des deux vieillards n'a eu l'air de se rendre compte de ma bourde.

24

FAITH N'AVAIT PAS de voiture. Inutile de dire que Barbapoux était mort depuis longtemps ; il n'avait pas été remplacé, ou bien son remplaçant était mort, lui aussi. Pas de chien non plus, alors que Faith semblait y accorder une grande importance, dans son journal des années cinquante.

Elle m'en a donné l'explication le lendemain de mon arrivée.

Trop vieille, elle craignait qu'à sa mort ses animaux de compagnie soient mal traités. Aussi préférait-elle rester seule. Puisqu'elle n'avait pas de moyen de locomotion, elle n'allait jamais à Blackberry. Elle commandait ses courses par téléphone et une camionnette de l'épicerie les lui livrait une fois par semaine. Il arrivait qu'elle monte dans la camionnette pour rendre visite à Sulpicius, l'unique personne avec laquelle elle entretenait des relations un peu suivies. C'était lui qui

s'était occupé de la maison lors de son séjour chez nous.
La vieille dame était très mal à l'aise ; ma présence chez elle la déconcertait. Les deux premiers jours ont duré un siècle et, son angoisse étant contagieuse, j'ai fini par me demander si j'avais eu une bonne idée en débarquant comme ça.
La maison était beaucoup trop grande, même pour deux. Faith m'avait laissé choisir ma chambre. Je m'étais installé au deuxième étage, dans un lit qui avait peut-être été celui d'Henri Legoueux...

J'ai fini par mettre la main sur le journal de mon arrière-grand-mère au cours de la troisième nuit passée dans la maison. Les cahiers étaient posés sur une table de bridge, dans un bureau entièrement tapissé de velours bleu ancien et un peu poussiéreux. J'ai eu le culot – ou l'inconscience –, après l'avoir vu de jour dans ce bureau, d'aller chercher le cahier qui m'intéressait à la lueur d'une lampe de poche.

11 AOÛT 1924

Henri a acheté une voiture pour lui. Avec celle que Père a offerte à maman le mois dernier, cela nous en fait trois ! Quel luxe ! Amely et moi avons aussi toute une nouvelle garde-robe. Je suis heureuse, mais je ne sais que trop bien d'où vient l'argent. Enfin, depuis la blessure d'Henri, il n'y a pas eu de nouvel incident.

17 AOÛT 1924

Sulpicius est revenu pour passer quelque temps à Blackberry. Quand il m'a vue, il m'a tourné le dos. Je préfère ne rien dire. Quelle BRUTE !

29 AOÛT 1924

Il y a un nouveau à Blackberry.

Un garçon tout à fait magnifique, aux yeux bleus et aux cheveux aile de corbeau. Il s'appelle Andrew ; c'est le fils du coiffeur qui s'est installé rue Grant. Je vais me servir de lui pour faire enrager Sulpicius. Je pense que ce ne sera pas trop désagréable.

3 SEPTEMBRE 1924

La tête de Sulpicius ! J'en ris encore. Non, cher journal, ce n'est pas vrai. Cet Andrew est une tête pleine d'eau (j'ai appris qu'il se faisait faire des permanentes par ses parents !) et Sulpicius me manque beaucoup. En tout cas, il avait l'air drôlement jaloux aujourd'hui. C'est bon signe. Amely me traite de Messaline. Je crois que c'était une princesse de l'Antiquité, très dévergondée. Où est-ce que ma sœur a appris des insultes pareilles ?

12 SEPTEMBRE 1924

Henri est parti pour un voyage d'affaires de quinze jours. Voyage d'affaires ! Il s'agit sans doute d'une de leurs combines. Pourtant, quand je regarde mes parents – comme ce soir, au dîner –, je me dis que je rêve. Ils ne peuvent pas être des bandits. Surtout maman.

20 SEPTEMBRE 1924

Sulpicius m'a demandé de boire un verre de limonade avec lui chez madame Chainsaw. J'ai refusé, bien sûr. Mais comme il me redemandera demain, je me laisserai peut-être fléchir.

21 SEPTEMBRE 1924

Amely et moi sommes seules à la maison. Mère n'est pas venue nous chercher à Blackberry ; nous sommes rentrées à pied pour trouver la porte close. Heureusement que j'avais la clé.

Il est minuit vingt. Nous ne dormons pas. Que s'est-il passé ?

Deux heures du matin. Amely s'est endormie tout habillée. Où sont papa et maman ?

25

FAITH REGARDAIT par la porte-fenêtre de la cuisine grande ouverte. Nous prenions notre petit déjeuner dans un concert de piaillements d'oiseaux. Elle s'est étirée.

— Allons nous promener.

Je l'aurais bien laissée partir seule, pour pouvoir continuer la lecture du journal que la fatigue m'avait obligé à abandonner la nuit précédente, mais je l'ai suivie.

Il faisait chaud, malgré l'humidité des sous-bois. Ce type de chaleur un peu poisseuse qu'on trouve dans une buanderie.

Faith avançait lentement, ne faisant presque aucun bruit. J'avais beau essayer de l'imiter, il se trouvait toujours une branche morte ou un tas de feuilles pour craquer ou crisser sous mes pieds.

« Est-ce que c'est dans ce coin que Legoueux a tué les

trois types ? » me demandais-je. « Et le lynx qui a attaqué Amely ? Au fait, est-ce qu'il y a encore des lynx par ici ? »

— Regarde ; ça, c'est signé. Un ours est passé par là.

Je me suis crevé les yeux à regarder le sol mais Faith m'a donné une bourrade.

— Pas par terre, andouille ! Il a plu à verse trois jours de suite la semaine dernière, les traces sont effacées. Non, le tronc !

J'ai regardé l'arbre. D'énormes plaques d'écorce avaient été arrachées.

— Les ours mangent du bois ?

Mon arrière-grand-mère a fait claquer sa langue, partagée entre l'ironie et l'énervement.

— Mais qu'est-ce qu'ils t'apprennent, à l'école ? Tu confonds les ours et les termites ? Ils se frottent le dos contre les arbres pour se débarrasser de leurs parasites et pour marquer leur territoire. Tiens, sens la base du tronc. Je suis sûre qu'il a pissé, aussi.

J'ai senti. Malgré les jours de pluie, il restait une odeur tenace qui m'a rappelé celle de la fosse aux crocodiles du zoo, à New York.

— Euh, Faith, il y a beaucoup de bêtes dangereuses dans cette forêt ?

— Les ours, on ne les voit jamais, mais si on en voit un de trop près... Les pumas... de temps à autre ils tuent

un mouton, ou un homme... Les mocassins – ce sont des serpents de la famille des crotales, morsure mortelle... Les lynx sont trop petits pour s'attaquer aux adultes ; à la rigueur, un gars comme toi pourrait faire l'affaire. Tu es tout juste encore assez mignon...
Elle se fichait de moi. Je l'ai vue sourire, puis se rembrunir. Peut-être parce que sa tirade lui avait fait repenser à Amely et son lynx.

Nous n'avons rien rencontré de plus terrifiant qu'une hase et ses petits, qui ont jailli d'un fourré et sont passés entre nos jambes.
Nous nous sommes assis sur une grosse pierre tapissée de lichen, à un endroit où les frondaisons s'espaçaient suffisamment pour que le soleil nous caresse le visage et les mains.
— Normalement, a dit Faith, je les garde dans ma chambre ; c'est plus pratique. Mais comme tu es là, je me suis dit qu'ils seraient mieux dans le bureau. Tu es de mon avis, n'est-ce pas ?
— Que... quoi ?
— Eh bien, mes cahiers rouges ! Mon journal intime ! Enfin, intime...
J'étais salement pris de court. J'ai ouvert la bouche pour répondre, puis je l'ai refermée.
Dans notre dos, un oiseau non identifié a poussé une

espèce de glapissement ridicule. Enfin, j'ai retrouvé un peu de courage.

— Vous savez depuis longtemps ?

— Oh, depuis le premier jour. Tu sais, nous autres les vieux, nous sommes assez maniaques. J'ai retrouvé un des cahiers sur le dessus de la pile, alors que je les classe toujours dans l'ordre chronologique. Le plus récent sur le dessus. Deux jours plus tard, l'ordre était encore différent. Alors, j'ai su que tu t'instruisais à mes dépens !

J'ai repensé à toutes les précautions que j'avais prises des semaines durant. J'en aurais bouffé mes lacets.

26

FAITH N'ÉTAIT PAS en colère. Elle présentait au soleil sa figure craquelée. Ses traits étaient aussi détendus que si elle dormait.

— Je crois que je suis contente. Tout cela était bien lourd pour moi. Oui, je suis contente que tu aies forcé la porte. Parce que je n'aurais jamais osé raconter ma vie. Et même si tu es un peu jeune, tu n'es pas tout à fait crétin.

Elle s'est levée.

— Je voudrais te montrer quelque chose.

Nous sommes sortis de la forêt. Lorsque nous nous sommes retrouvés devant la falaise et que Faith a écarté les broussailles pour découvrir l'entrée de la grotte, j'ai eu l'impression extraordinaire de quitter le monde réel pour me glisser dans son cahier.

Mon arrière-grand-mère est entrée la première et m'a fait signe de la suivre.

Tandis que je faisais deux pas prudents, m'enfonçant dans l'obscurité, j'ai entendu le grésillement de l'allumette grattée et la petite flamme a rejoint la mèche de la lampe à pétrole.
Faith m'a poussé devant elle. La caverne ressemblait tout à fait à la description du journal. Mais elle était complètement dévastée.
— Je ne sais pas si tu as déjà lu ce passage, a dit mon arrière-grand-mère. C'est ici que mes parents sont morts.
La chaudière était éventrée. Des morceaux de métal, comme des éclats d'obus, étaient plantés dans des caisses pourries. Le sol était jonché de débris hétéroclites.
— Je n'ai touché à rien depuis soixante-quinze ans. De temps à autre, je viens, je m'assieds et je regarde.
— Et vos parents ?
— Ils sont enterrés près de la grotte.
Je suis ressorti à l'air libre avec autant de soulagement que si j'étais resté enfermé un mois. Faith m'a conduit jusqu'à une souche polie par les pluies.
— Papa et maman sont là-dessous. Au milieu des racines. Cet arbre a poussé après qu'ils ont été enterrés, et puis il est mort.
— Mais enfin, pourquoi est-ce qu'ils ne sont pas au cimetière ? Qui sait qu'ils sont ici ?

— Nous étions trois à le savoir. Henri Legoueux, Amely et moi.

— Et eux ? Que sont-ils devenus ?

— Ah. C'est vrai, tu n'as pas encore lu tout ça. Je vais te faire une proposition, Mickey. Puisque tu es venu pour ça, je vais te les donner, mes cahiers. Sauf le dernier, parce qu'il n'est pas fini. Et tu pourras rentrer à Brooklyn.

— Mais je ne veux pas rentrer à Brooklyn ! Je suis venu autant pour vous que pour les cahiers. Je... Vous me manquiez.

Faith s'est laissée tomber sur la souche.

— Ma cheville me fait mal.

Elle n'a rien dit de plus. Nous sommes rentrés à la maison.

— Comme ça, tu préfères que je te raconte, plutôt que de lire mon journal ? Mais je ne sais pas si j'en ai envie... D'accord. Ne fais pas cette tête-là. Tu t'es arrêté au moment où Amely et moi attendions le retour de nos parents ? Ah, nous ne savions pas encore qu'ils étaient morts...

Au matin, nous avons décidé qu'il fallait tout de même aller à l'école et nous sommes parties à pied. Je me souviens que Sulpicius – oui, c'est le même que le vieux monsieur qui nous a conduits ici –, Sulpicius n'a pas compris pourquoi je l'ai envoyé bouler avec autant de hargne, ce matin-là.

La journée a été horrible. Amely et moi nous sommes retrouvées à la sortie de l'école et nous avons couru sans nous arrêter pour rentrer à la maison. Mais elle était toujours vide. Nous sommes reparties pour la scierie, où les deux employés nous ont dit qu'ils n'avaient pas vu nos parents depuis la veille.

Quand le jour a décliné, j'ai décidé que nous ne pouvions pas passer une autre nuit comme ça. Je suis allée chercher la lampe tempête dans la grange. D'abord, je voulais partir seule, puis j'ai compris que ce serait horrible de laisser ma petite sœur dans la maison vide et je l'ai emmenée avec moi.

27

— La forêt, la nuit. Il pleuvait – de véritables trombes qui s'abattaient sur nos épaules. Comme deux écervelées que nous étions, nous n'avions rien emporté d'imperméable ; lorsque les premières gouttes ont traversé les branches, nous étions trop loin pour faire demi-tour.

Lorsque nous sommes arrivées à la grotte, nous étions trempées. Avant même d'entrer, j'étais sûre de les trouver là. L'explosion de la chaudière les avait tués sur le coup. Mais ils n'étaient pas du tout abîmés. Le souffle avait dû leur casser quelque chose à l'intérieur. Comme s'ils avaient reçu une gigantesque claque.

Ni Amely ni moi n'avons pleuré. Je crois que la situation était à la fois trop horrible et trop étrange pour provoquer chez nous une réaction normale.

Nous avons assis papa et maman côte à côte, dans une position naturelle parce qu'ils étaient tout tordus.

Leur présence au milieu des caisses d'alcool m'a fait sentir pour la première fois à quel point notre vie avait été absurde et dangereuse depuis notre départ de Chicago. Oui, papa et maman étaient bien des bootleggers. Et ils en étaient morts.

Je leur en voulais, mais je pensais surtout à ces crétins moralisateurs, ces imbéciles qui avaient cru qu'en faisant interdire l'alcool ils purifieraient les esprits. En fait de purification, ils avaient seulement réussi à mettre le pays à feu et à sang.

« Tu crois que ce sont des bandits qui ont saboté la machine ? m'a demandé Amely.

— Non. Un coup de revolver, c'est beaucoup moins compliqué. Papa et maman ont dû faire une erreur de manipulation.

— Tout le monde, à Blackberry, va dire que nos parents étaient des hors-la-loi.

— Personne ne le saura. Personne. »

Tu vois Mickey, dans l'immédiat, au lieu de paniquer comme une poule idiote, je n'avais qu'une idée en tête : préserver le souvenir de papa et maman.

— Parfois, dans le cahier, vous les appelez « Père » et « Mère »...

— Cela se faisait, à l'époque. De nos jours, on en rigolerait, n'est-ce pas ? Mets la table, Mickey. Je vais jeter un coup d'œil au repas.

— Ma sœur et moi savions qu'Henri ne rentrerait pas avant trois ou quatre jours. Il faudrait se débrouiller seules. J'ai cherché le camion Sentinel. Il était là où je l'avais vu la fois précédente. J'ai desserré le frein ; une chance pour nous – je ne savais pas conduire, et de plus les camions Sentinel fonctionnent à la vapeur, il faut avoir le truc pour s'en servir –, coup de chance donc, le terrain était très légèrement en pente. Amely et moi avons pu pousser le camion sur une centaine de mètres. J'ai jugé qu'il était maintenant assez loin de la grotte pour que, même si on le trouvait, il n'y ait aucune probabilité que cela trahisse le sanctuaire de nos parents. D'ailleurs, on ne rencontrait jamais âme qui vive dans cette partie de la forêt. Elle était éloignée des chemins, il n'y avait presque pas de gibier. La pluie avait redoublé. Amely et moi devions avoir l'air de deux serpillières.

À la maison, nous avons fait un grand feu dans la cheminée, nous avons mis nos vêtements à sécher et nous nous sommes serrées l'une contre l'autre, tout près des flammes.

Depuis deux ans, nos parents avaient rompu toute relation avec leurs familles respectives. Nous étions seules au monde, si on ne comptait pas Henri Legoueux.

À cinq heures du matin, je me suis réveillée et je suis descendue à la réserve. J'ai trouvé le gros sac de poivre noir, coincé entre deux jambons. Jusqu'à sept heures, j'ai écrasé les grains entre deux plaques de bois que je frottais l'une sur l'autre. Ça allait plus vite qu'avec un moulin. Tout ce travail m'a donné cinq ou six poignées de poudre, que j'ai reversée dans le sac.
Amely dormait toujours, alors je suis partie sans elle.
Il ne pleuvait plus.
Ces journées étaient noires, Mickey. Comme par un fait exprès, il a fallu que je rencontre un glouton[1]. Cette sale bête m'a menacée en ouvrant une gueule pleine de crocs jaunes et pointus. Il m'a semblé que c'était le destin lui-même qui me montrait les dents. Je jure que s'il m'avait attaquée, je l'aurais tué. Avec MES dents, si nécessaire. Il a dû le sentir et il est parti en grognant par-dessus son épaule.
Devant l'entrée de la grotte, j'ai commencé à répandre le poivre. Et sur le chemin du retour j'ai laissé filer entre mes doigts, en semant autour de moi, le reste du sac. Deux jours de pluie avaient suffi, sans doute, à effacer l'odeur de mes parents. Mais je voulais être sûre que des chiens ne pourraient pas les retrouver.

1. *Glouton :* mammifère carnassier de la taille d'un gros chien. Extrêmement agressif et vorace.

Quand je suis arrivée à la maison, Amely pleurait, recroquevillée devant les cendres froides de la cheminée. Je l'ai câlinée et je lui ai promis de ne plus jamais la laisser seule.

Nous sommes parties pour Blackberry, afin de dire à tout le monde que nos parents avaient disparu.

28

— Henri Legoueux est rentré trois jours après qu'une battue géante eut été organisée pour retrouver papa et maman. Comme un certain nombre de gens connaissaient l'activité de nos parents, ils n'ont pas été longs à en tirer des conclusions : monsieur et madame Green avaient été tués dans un règlement de comptes entre bootleggers.
Henri a été questionné de près, mais il a pu prouver qu'il était resté à Helena et qu'il n'en était parti que dans la matinée.
Ni Amely ni moi ne lui avons dit tout de suite ce qui s'était passé. Il a laissé filer la journée. La nuit, je l'ai entendu se lever. Je savais où il allait. Je ne l'ai pas suivi. Au matin, il avait le visage défait. Il se demandait comment nous apprendre la nouvelle – et s'il le fallait, après tout. Amely a mis fin à ses hésitations en déclarant froidement :

« On sait bien qu'ils sont morts. On les a vus. Et c'est ta faute, Henri. Si tu n'avais pas rencontré papa, il serait toujours vivant. Et maman aussi. »
Henri a été sur le point de répliquer et il a fait un énorme effort de volonté pour garder les lèvres serrées. Puis, après avoir soufflé un grand jet d'air par son nez mutilé, il nous a dit qu'il avait enterré nos parents près de la grotte. Afin, a-t-il ajouté, que si quelqu'un découvrait la distillerie, il ne puisse établir un lien direct avec notre famille.
« C'est surtout pour vous protéger, a ricané ma sœur qui était proche de l'hystérie.
— Non. C'est parce qu'ils auraient voulu que les choses se passent ainsi et que votre père était mon ami. Le seul que j'aie jamais eu. »

Mon arrière-grand-mère et moi étions assis sur le large perron de la maison, qui faisait office de véranda.
— Je me souviens à peine de mon premier séjour ici, Faith.
— Ça t'étonne ? Tu devais avoir quatre ans. Et vous n'êtes pas restés longtemps. June n'était pas dans son élément, et je lui faisais un peu peur. Et puis le jour où ton frère Jess s'est perdu dans la forêt... Il a fallu trois heures pour le retrouver. Elle a sauté sur l'occasion.

— Notre famille n'est pas très unie, n'est-ce pas ? Nous ne nous connaissons pas du tout... Je veux dire, entre les jeunes et les vieux...

— Je suppose que c'est ce qu'on appelle le progrès. Les gens courent trop vite pour avoir le temps de regarder en arrière, du côté des ancêtres comme moi.

— Mais enfin, Faith, pourquoi avoir choisi de venir chez nous ?

— Eh bien, mon fils, enfin, ton grand-père, est mort il y a cinq ans. Je ne le voyais plus. Quant au reste de la famille... Je vous ai choisis au hasard, Mickey. J'ai écrit les noms de tous les membres sur des feuilles de papier, une feuille pour chacun, je les ai pliées, jetées dans un chapeau, et j'ai pioché. C'est tombé sur vous.

— Et qu'est-ce que vous êtes venue chercher ?

— Je ne sais pas bien. Non, je ne suis rien venue chercher chez vous. Je me suis contentée d'essayer de fuir les souvenirs qui rôdent dans ces bois. Mais ils sont plus forts que tout. Ils m'ont vite rattrapée, et ramenée ici.

— Henri s'est démené comme un diable pour conserver notre garde. Compte tenu de son allure et de sa réputation, ça n'a pas été sans mal. Et puis nous avons retrouvé des papiers signés par nos parents, une for-

me de testament qui stipulait que l'ensemble de leurs biens revenait à leurs deux filles. Et qu'en cas de malheur, leur tutorat devrait être assuré par monsieur Legoueux et personne d'autre.
Je ne sais pas si tout cela était parfaitement légal, mais les lois étaient un peu élastiques à cette époque, et surtout dans ce coin perdu. Et puis personne à Blackberry n'aurait voulu qu'Henri Legoueux se mette en colère. Pas même le shérif.
Il est resté à la maison.

Va savoir pourquoi, Mickey, certaines personnes sont plus solides que d'autres. Amely ne s'est jamais remise de la mort de papa et maman. De plus, la présence d'Henri lui était insupportable ; il était, selon elle, le responsable du désastre.
À la suite d'une espèce de vœu, ou peut-être simplement parce qu'il avait besoin de changer de tête, comme cela arrive aux gens qui sont très mal dans leur peau, Henri s'est rasé la barbe. Ça l'a rajeuni de manière incroyable. Il en paraissait aussi plus fragile. Un soir, il est venu me parler, il m'a dit que nos seuls revenus, désormais, seraient ceux de la scierie.
« Nous serons moins riches, mais je suis sûr que ta mère aurait souhaité qu'il en soit ainsi. Désormais, vous n'aurez plus à vivre dans l'inquiétude. »

Je me souviens avoir crié : « Mais pourquoi papa et maman se sont-ils lancés là-dedans ? C'est absurde.
— Je ne peux pas te le dire, m'a-t-il répondu. Pas maintenant. »

29

Nous avons fait la vaisselle du déjeuner. Il y a des choses dont on ne peut pas parler les mains dans l'eau chaude ou en frottant une assiette. Alors j'ai attendu que Faith prépare son café et le serve dans la salle à manger aux fenêtres grandes ouvertes pour lui demander :

— C'est ça, le vrai secret de votre histoire... Qu'est-ce que votre père venait faire chez les trafiquants ? Qu'est-ce qui l'a amené là, lui qui avait toujours été honnête ?

— Mon père n'a jamais été un honnête homme. J'ai dû attendre l'âge de vingt ans pour l'apprendre.

— Mais, à Chicago...

— À Chicago, il portait un col blanc et des chaussures vernies mais il était déjà un voleur.

J'étais atterré. Comment pouvait-on parler ainsi de son propre père ?

Mais Faith n'était pas vindicative : elle se contentait de constater un fait établi.

— Le jour de mes vingt ans – Amely était déjà partie –, Henri est sorti pour marcher avec moi. La solennité de son expression m'a rappelé cette promenade que nous avions faite, des années auparavant, durant laquelle je lui avais appris que je l'avais vu tuer Jim Cribb et ses complices.

« Faith, je vais m'en aller. Tu es de taille à diriger seule la scierie. Et puis tu es une femme maintenant, et il n'est pas convenable que nous vivions ensemble dans cette maison. Tu n'es pas ma fille, après tout. »

J'aurais voulu lui dire que depuis six ans, il avait été le meilleur des pères, mais j'ai compris que je devais me taire. Visiblement, il lui était difficile de parler.

« Ce que je vais te raconter, je ne le fais pas pour soulager ma conscience et essayer de coller sur le dos de ton père l'entière responsabilité de ce qui lui est arrivé. Mais je crois que je te dois la vérité. Alors, tu vas tout savoir. Depuis l'âge de quinze ans, je suis un voleur et un meurtrier. Tu m'as vu assassiner Little Jesus et ses copains. J'en ai tué d'autres. Le destin est étrange : chaque fois que j'ai voulu me ranger et m'essayer à la vie honnête, un événement m'en a empêché. Ma famille est morte dans un incendie. Il y a eu des tas d'autres choses, que je ne peux te raconter parce que je n'en ai ni le temps ni l'envie. Enfin, mes pérégrinations m'ont conduit à Chicago, dans un "cochon aveugle[1]". Tu ne sais pas ce que c'est ? On appelle comme ça les bars clandestins, où l'on sert de l'alcool prohibé. Celui-ci, c'était le *Ladybird*, un établissement situé dans le quartier le plus mal famé de la ville. En fait, il s'agissait d'un appartement perché au cinquième étage d'un immeuble crasseux, dans lequel on avait installé quelques tables et des chaises. J'ai tout de suite été frappé, en entrant, par un homme qui buvait seul et qui était habillé en milord. Est-ce qu'il se rendait compte du fait que tous les autres consommateurs attendaient qu'il soit suffisamment ivre pour le dépouiller ? Je crois qu'il s'en fichait. C'était ton père. »

J'ai dit à Henri que c'était impossible, qu'à cette époque Père ne buvait pas une goutte d'alcool.

« Laisse-moi parler, a-t-il répondu. Il avait de bonnes raisons pour boire, cette nuit-là. Mais si tu m'interromps encore ou si tu mets ma parole en doute, je ne te dirai plus rien. »

Je l'ai laissé parler, et chacun de ses mots s'est transformé en poison. « Ton père était saoul. Curieux, je suis venu m'asseoir à sa table. Quelques-uns des salauds

1. *Cochon aveugle :* en anglais, « Blind Pig ».

qui attendaient qu'il tombe pour le soulager ont essayé de s'interposer, mais ils étaient tellement minables qu'un seul regard a suffi à les décourager. Si ton père n'était pas encore par terre, il ne valait guère mieux.

Il m'a raconté son histoire. L'alcool délie les langues, n'est-ce pas ? Son père, ton grand-père, l'avait fait entrer dans la fabrique de chaussures dans laquelle lui-même travaillait. Lorsqu'il a été admis à un poste de responsabilité qui lui donnait accès aux comptes, ton père a commencé à puiser dans la caisse. Ton grand-père a pris sa retraite. Alors, ton père a accéléré ses prélèvements... Tout en continuant à monter en grade, jusqu'à devenir l'associé du patron, qui le trouvait très efficace.

Il a ainsi détourné beaucoup d'argent. Jour après jour, il est devenu moins prudent. Et il s'est fait prendre la main dans le sac. Ça se termine toujours comme ça. On a bien failli le mettre en taule. Son père a intercédé pour lui. Bref, on lui a dit que s'il rendait l'argent, on se contenterait de l'envoyer se faire pendre ailleurs. Lorsque je l'ai rencontré au *Ladybird*, il venait de revendre son appartement et sa voiture, ce qui payait tout juste sa dette. Les patrons de son entreprise lui avaient dit qu'il ferait aussi bien de quitter Chicago... Ton père ne connaissait personne en dehors de la ville. Il avait une femme et deux enfants à nourrir.

Je ne sais pas ce qui m'a pris ; Dieu sait que ce n'était pas ce genre d'homme que j'étais venu recruter à Chicago. Mais je lui ai proposé de venir avec moi à Blackberry. »

30

LE RÉCIT DE FAITH ne donnait pas de son père une image très reluisante, mais je n'aurais jamais osé le lui dire. C'est elle qui s'est interrompue pour marmonner :

— Un père est un père, quoi qu'il en soit. Avec nous il a toujours été très bien. Henri lui a proposé de mettre en route une distillerie avec lui, dans le Montana. Mon père était tellement désespéré qu'il a immédiatement accepté. Il a juste demandé à Henri de ne pas se présenter à sa femme, et à nous, avant que nous ayons rejoint Blackberry. Il n'était pas fou : si nous avions vu débarquer dans notre appartement un géant barbu au nez coupé et qu'on nous avait annoncé qu'il était le nouvel associé de Père, nos cris auraient fait claquer les verres de lampe !

— Et votre mère ?

— Elle aimait et admirait énormément son mari.

Contre vents et marées, elle l'a toujours défendu. Les seules fois où elle s'est rebellée, c'est quand il s'agissait de notre sécurité ; celle de ses filles... La pensée de cet amour m'a soutenue toute ma vie.

— Qu'a fait Henri après vous avoir raconté tout ça ? Il est vraiment parti ?

— Le soir même. Il n'a emporté qu'une valise. Je n'ai eu aucune nouvelle, pendant trois ans. Il se contentait de m'envoyer ses adresses successives, afin que, en cas de problème grave, je puisse faire appel à lui. Je ne lui ai pas écrit parce que je savais que ça lui aurait fait du mal.

Le 19 février 1933, j'ai lu dans le journal qu'un certain Henri Legoueux, Canadien de quarante-huit ans, était mort au cours d'un affrontement entre trafiquants de fausse vodka, à Denver. Il avait reçu trente-deux balles de mitraillette Thomson dans la poitrine.

Le lendemain, le 20 février, on annonçait la fin de la prohibition ; je suis partie pour Denver et j'ai payé les frais d'enterrement d'Henri. Pour je ne sais quelles obscures raisons administratives, on m'avait refusé le droit de le faire inhumer chez nous, dans le Montana. La police m'a fait suivre jusqu'à Blackberry. Elle voulait savoir d'où sortait cette jeune fille, liée de si près à un redoutable gangster. On est même venu m'embêter et vérifier mes comptes, à la scierie. Deux policiers en civil ont fouillé la maison. Ils n'ont rien trouvé. Depuis de longues années, ce qui restait de la famille Green menait une vie honnête... On ne m'a plus jamais ennuyée.

— Et... Amely ?

— Amely ? Elle va bien, je crois.

J'ai été soufflé. Tout m'avait fait penser, jusqu'à présent, que la petite sœur de Faith était morte.

— Comment ça, « Elle va bien, je crois » ?

— Eh bien, c'est que de Tchangtchoun, il n'est pas facile de faire parvenir des nouvelles.

— Tchangtchoun ?

— Tchangtchoun. C'est en Chine. En Mandchourie, pour être plus précis. C'est-à-dire à l'extrême nord-est du pays.

— Mais qu'est-ce qu'elle fiche là-bas ?

— À dix-sept ans, elle a rencontré Chou, un Chinois

qui tenait une blanchisserie à Blackberry. Ils sont tombés fous amoureux l'un de l'autre. Ma petite sœur, qui m'avait toujours reproché de trop me laisser approcher par les garçons ! Bon. C'est vrai qu'il était plutôt pas mal, son Chinois. N'imagine pas un nain rabougri. Les Chinois du Nord sont souvent plus grands que nous, et celui-là avait une sacrée prestance. Ils sont partis pour la Chine l'année suivante. Amely n'est jamais revenue. Je reçois une lettre d'elle, tous les deux ou trois mois. Elle aussi est arrière-grand-mère.

— Pourquoi n'est-elle jamais revenue ?

— Tu me poses la question ? Elle ne le pourrait pas. Personne ne souhaite replonger dans ses cauchemars.

— Mais vous, Faith, pourquoi êtes-vous restée ?

— Je ne sais plus très bien. Peut-être parce qu'il fallait quelqu'un pour veiller sur la mémoire de nos parents. Ils dorment ici, après tout. Et puis parce que les souvenirs rôdent dans ces bois et qu'ils sont comme les parfums un peu lourds et écœurants de certaines fleurs, sur lesquelles on se penche pourtant, chaque fois qu'on passe devant elles.

31

C'ÉTAIT UN NID qui avait tué mes arrière-arrière-grands-parents. Un simple nid de passereau. Il avait bouché la cheminée qu'Henri Legoueux et le père de Faith avaient construite. Voilà comment un destin se joue, par la faute d'un tout petit oiseau.
Faith m'a montré ce nid, écrasé et encore plein de suie, soixante-quinze ans après le drame.
Elle m'a parlé de quelques-uns des hommes qu'elle avait rencontrés. Jamais aucun n'avait réussi à lui faire quitter sa maison plus de quelques semaines. Et elle m'a décrit tous les chiens qui avaient couru avec elle dans les bois. À coup sûr, elle les aimait plus que ces hommes...
Un soir, je lui ai dit:
— Le temps a un effet étrange: si vous racontez que votre père est un gangster, on vous regardera avec horreur. Mais vous pouvez clamer que votre ancêtre

du XVIIIe siècle était un pirate sanguinaire, on vous enviera. Pour vous, l'activité de vos parents est honteuse. Pour moi, elle est déjà entrée dans le folklore !
Faith a écarquillé les yeux. Je suis sûr qu'elle n'avait jamais vu les choses sous cet angle.
Elle m'en a encore beaucoup dit. Elle avait eu son fils en 1955, à l'âge de quarante-cinq ans, d'un homme qui l'avait quittée dès qu'il l'avait sue enceinte... Ce fils avait fui la maison le jour anniversaire de ses seize ans, pour devenir boxeur dans une foire itinérante. C'était lui, mon grand-père, qui était mort cinq ans auparavant.
Faith a ri en évoquant les brouilles et les raccommodages permanents, entre elle et Sulpicius.
— Pour les détails, disait-elle, mi-figue mi-raisin, consulte mon journal.
Nous avons fait d'interminables promenades à travers les bois. Elle m'a forcé à nager dans le lac de Swan en me traitant de « pétochard qui a peur de l'eau un peu froide ». Un peu froide ! Remplissez votre baignoire sans toucher au robinet d'eau chaude. Versez dedans le contenu de tous les bacs à glaçons de votre frigo. Et ensuite, allongez-vous là-dedans. Vous n'aurez qu'une faible idée de la température du lac de Swan.

Le dernier jour, elle m'a tendu les trois cahiers rouges. Je ne voulais pas la laisser seule avec ses fantômes, mais je savais qu'elle était mieux dans les bois qu'au milieu du béton de Brooklyn. Alors j'ai mis les cahiers dans mon sac de voyage et je l'ai serrée dans mes bras. Quand elle a posé ses mains sur ma nuque avec une douceur inaccoutumée, j'ai compris combien j'avais appris à aimer la vieille dame.

Nous avons attendu le car ensemble, sans parler.

Sur le marchepied, alors que le chauffeur s'impatientait, j'ai dit :

— Les prochaines vacances sont dans trois mois.

J'ai entendu sa réponse, malgré le chuintement de la fermeture hydraulique des portes :

— Je serai là, Mickey !

Table des chapitres

Aventures

JUNIOR / DÈS 10 ANS

Alain Adde
LE PASSAGE NORD-OUEST

Évelyne Brisou-Pellen
LA FILLE DU COMTE HUGUES

Jean-François Chabas
VIEILLE GUEULE DE PAPAYE
Prix jeunesse d'Eaubonne 1997

LES SECRETS DE FAITH GREEN
Tam-Tam « Je bouquine » 1998
Grand Prix des Jeunes Lecteurs de la PEEP 1999
Prix «Été du livre» jeunesse, Metz, 1999
Prix du Roman historique, Poitiers, 1999
Prix des lecteurs du collège Pablo Neruda, Bègles 1999
Prix littéraire du collège de Bayeux 1999
Livre d'Or senior des jeunes lecteurs valenciennois 1999
Prix des Incorruptibles 1999
Prix « Plaisir de lire » Auxerre 2000
Prix Chronos Suisse 2000
Prix Versele 2000
Prix des jeunes lecteurs de Thorigny-sur-Marne 2000
Prix Mange-Livres de Carpentras 2000
Prix Auvergne-Sancy 2001

DES CROCODILES AU PARADIS

BA
Prix « Graine de Lecteurs » de Billère 2001

L'ESPRIT DES GLACES

LE PORTEUR DE PIERRES

Jean Gennaro
LE DERNIER DES ROTHÉNEUF

Mary Jemison
ENLEVÉE PAR LES INDIENS

Jean-François Laguionie
LE CHÂTEAU DES SINGES

Gérard Moncomble
BOUZOUK
LES MANGE-MÉMOIRE
LES FANTÔMES D'AHAM
LA BALADE DU TROUVAMOUR
DANS LES GRIFFES DE GGROK
illustrés par Mazan

Jean Ollivier
JEREMY BRAND
LE CRI DU KOOKABURA
LA CHASSE AUX MERLES
Prix du Roman jeunesse de Rueil-Malmaison 1998
L'OR DES MONTAGNES BLEUES

Xavier-Laurent Petit
LE MONDE D'EN HAUT
Prix Goya « Découverte » 1998

Michel Piquemal
YOËL OU LE SANG DE LA PIERRE

Thierry Robberecht
DEEP MAURICE ET GOLOGAN
PAGAILLE CHEZ LES SAMOURAÏS
GAFFE AU GOUROU

Éric Sanvoisin
LE MANGEUR DE LUMIÈRE

Anne Thiollier
HONG KONG STORY